LE MORT
DU BOIS DE SAINT-IXE

MICHÈLE RESSI
avec la collaboration de
Me MAX LALÈRE

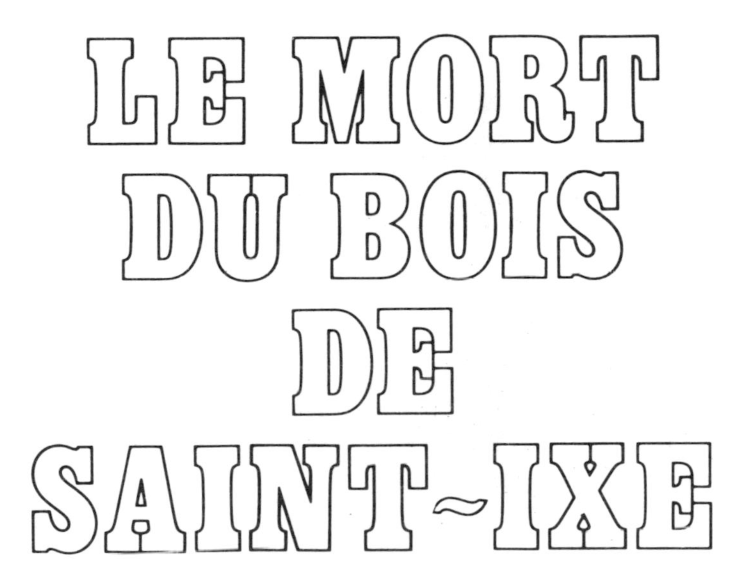

LES CLASSIQUES DU CRIME

ISBN 2-8302-1174-X

16 369 052 (03)

I

LE CORPS

La route descend du plateau et ondule vers la vallée. Paresseuse, elle prend le chemin des écoliers, peu pressée de rencontrer ces brouillards matinaux qui s'effilochent comme duvet, au gré de la bise de l'Est.

Paysage en forme de cliché pour carte postale ou de décor de film. Mais ici, rien ne se passe jamais. Il y a bien de temps en temps quelques touristes, armés d'appareils photo. Clic! Clac! Bonjour, bonsoir. Pour le reste... rien vraiment. Le calme plat, si l'on peut dire, à ces altitudes jurassiennes.

Une journée commence, semblable à toutes les autres. Une voiture monte le long de la route. Elle aussi, elle prend son temps. Elle est vieille et, bien qu'elle se ménage, poussive, haletante. « Foin n'est de foncer! » comme on dit ici.

Mathieu Legras, le charcutier de la petite ville de Saint-Ixe, est au volant. Sa femme, à ses côtés, somnole.

« Pas dommage qu'on ait un peu de bon temps après toutes ces mouillasseries... » monologue Mathieu.

La voiture arrive à hauteur du petit bois de frênes dont les feuilles deviennent mordorées au premier rayon de ce soleil retrouvé.

« Té! Ça sent encore le mouillé! » constate le brave homme pour dire quelque chose.

Mais il n'a rien à dire. Et sa compagne ne semble pas décidée à lui renvoyer la balle. Dommage! Il se sent des envies de parler, aujourd'hui. Tiens! Il pourrait faire une farce à Mme Legras, lui dire par exemple...

« Nom de nom de nom de...

— Mathieu! lui dit sa femme enfin sortie de sa torpeur matinale. Tu sais que c'est pas bon pour mon cœur de me faire des coups comme ça...

— Nom de nom de nom de..., continua Mathieu.

— Et puis que ça me contrarie de t'entendre jurer comme ça, pour un oui ou pour un non, ajouta la femme.

— Non de nom de nom de... » répéta encore Mathieu.

Puis il se tut. Il avait fini d'égrener son chapelet de « nom de nom de... ». Il était descendu de voiture et n'avait plus du tout envie de plaisanter. Il détaillait sa macabre découverte : les restes d'un corps calciné, méconnaissable, hideux... La main de Mathieu l'incroyant esquissa un signe de croix.

Sait-on jamais? Ça peut toujours servir. Même si Dieu n'existe pas, peut-être bien que le Diable...

Ce geste intrigua fort sa femme, qui descendit à son tour de voiture. Elle vit enfin ce que Mathieu voyait. Et la brave charcutière qui dépeçait et refaçonnait du porc à longueur de commande et de journée ne put en supporter davantage ; elle pensa « Mon Dieu » et s'abattit sur le sol.

« Nom de nom de nom de... Dieu! » s'exclama enfin le charcutier Mathieu.

Il en fut comme soulagé. N'empêche qu'il se trouvait aussi fort embarrassé avec ces deux corps à ses pieds. Il n'hésita qu'un court instant : au point où il en était, l' « autre », il pouvait bien attendre encore un peu! Il chargea donc sa femme sur son épaule, comme il l'aurait fait d'une pièce de viande inerte. Il la cala tant bien que mal sur le siège avant de la voiture, à côté de lui, et rebroussa chemin pour aller au plus vite faire soigner sa moitié et signaler sa découverte à la gendarmerie de Saint-Ixe.

La petite ville de Saint-Ixe connut en cette fin de septembre 1973 une matinée... historique. Saint-Ixe, qui se mourait lentement et sûrement à force de calme, se réveilla brutalement à la découverte du corps.

Après la déposition du charcutier Mathieu Legras et de sa femme qui était sortie de sa torpeur juste à temps pour ne rien perdre du fil des événements, les autorités se rendirent sur les lieux.

C'était à l'endroit où la route fait un coude et traverse le petit bois. Tandis que les gendarmes procédaient aux premières constatations d'usage, écartaient les curieux pour les empêcher de piétiner les traces alentour qui pourraient se révéler ultérieurement précieuses, et s'efforçaient de relever les moindres détails susceptibles d'éclairer la suite de l'enquête, les premiers habitants de Saint-Ixe, alertés, se réunissaient et se livraient au jeu passionnant des conjectures.

« Qui est-ce?

— Allez donc savoir, avec ce qui reste du pauvre type!

— Qu'est-ce que c'est? Un accident?

— Je ne vois pas très bien comment...

— Alors, un... suicide?

— Circulez, circulez! » ordonnaient vainement les gendarmes, au fur et à mesure que les gens s'arrêtaient, s'agglutinaient, s'interrogeaient.

« Allons donc! fit Mathieu Legras dont la qualité de premier témoin semblait donner plus de poids encore à sa corpulente personne. Qui voulez-vous qui se suicide en se faisant brûler comme une torche?

— J'ai lu qu'il y a des bonzes... »

Mathieu toisa la femme qui venait d'émettre cette supposition saugrenue. Un bonze dans les bois de Saint-Ixe! Cette Agathe Monmart était folle. Folle et sadique : l'idée qu'un bonze s'était immolé il y a quelques heures, à quelques centaines de mètres de chez elle, lui enflammait le regard et la rendait plus nerveuse qu'une chatte en chaleur.

« J'ai même lu qu'ils n'ont qu'à s'arroser de pétrole et...

— Vous lisez trop, Agathe, dit le charcutier qui ne lisait jamais.

— Ah! je me tiens au courant, monsieur Legras. Les faits divers, c'est la vie, pas vrai?

— Pour l'heure, c'est plutôt la mort! fit la charcutière, d'une voix d'outre-tombe.

— M ais j'y pense... » ajouta Agathe, les yeux plus brillants encore.

« Elle pense trop! » gronda Mathieu qui ne pensait guère. Et il s'éloigna de cette femme qui lui donnait la chair de poule avec ses airs.

« ... Si c'était un crime! » acheva Agathe Monmart.

Un crime! Un-crime-à-Saint-Ixe! In-cro-yable! Incroyable, mais... probable, d'après les premières constatations. On venait de retrouver dans le fossé voisin un bidon de pétrole vide. Sur le bas-côté de la route, l'herbe du talus avait été piétinée. Les pluies récentes avaient transformé la terre en boue, et la boue gardait nettement les empreintes de souliers, méticuleusement relevées par les gendarmes. Ainsi se trouvait inscrite en relief épais la lutte qui avait opposé la victime à son ou ses agresseurs, car des semelles de pointures et de modèles différents avaient piétiné le sol.

A midi, l'émotion était à son comble. Le marché du samedi matin ne faisait pas recette. Même les bonnes ménagères oubliaient le déjeuner du jour et les provisions de la semaine.

« Un crime! Par chez nous!

— Ah! de mon temps, c'est pas des choses qui arrivaient, affirmait une aïeule qui oubliait les massacres en règle qui lui avaient enlevé fils et mari en 1917.

— Mais qui est la victime?

— ... et le criminel? »

Sans indice, on pouvait tout supposer et on ne s'en faisait pas faute. Ces messieurs du Parquet de Dijon, sitôt alertés, sitôt sur place, donnaient à l'affaire un caractère régional et non plus seulement local. D'ici à ce que Saint-Ixe se retrouve à la une d'un grand quotidien national...

A deux heures de l'après-midi, l'émotion se changea en stupeur. Un alliance d'or blanc, qui n'avait pas complètement fondu au doigt de la victime, permettait d'identifier le mort sans grand risque d'erreur.

Il s'agissait de Lucien Serrat!

Lucien Serrat, LA personnalité de la région.

Lucien Serrat, conseiller général et prochain candidat aux élections législatives.

Lucien Serrat, un homme si bien, un si grand homme.

Bref, Lucien Serrat, bien aimé, bien connu de toute la région.

La famille de Lucien se retrouvait dans les bureaux de la gendarmerie : sa femme, Hélène, très digne, très froide, sous le masque de la douleur qui resculptait son beau visage de quarante ans, son frère Sylvain, qui tentait en vain de nier l'évidence, et sa fille Lucile, la plus visiblement bouleversée.

Lucien Serrat avait quitté les siens la veille au soir, vendredi 21 septembre. Il avait pris sa voiture, une DS noire. C'était un voyage d' « affaires ». Destination... inconnue. Il ne tenait pas sa famille au courant de ses faits et gestes, moins encore de ses projets, du moins dans les détails.

« Essayez de vous rappeler! insista le commissaire Darbois chargé de l'enquête. Hier, vous n'avez rien remarqué d'anormal dans le comportement de la victime? En prenant congé de vous, madame, dit-il en s'adressant à la femme de Serrat, il ne vous a pas semblé que votre mari... craignait quelque chose ou quelqu'un?

— Que voulez-vous dire, monsieur le commissaire? demanda Hélène en réprimant un sanglot.

— Je ne sais pas, avoua le commissaire. Mais les femmes ont parfois de ces intuitions... N'oubliez pas que le moindre indice peut nous aider. Pardonnez-moi si j'insiste, madame, mais...

— Monsieur le commissaire, je voudrais vous dire... »

Tous les regards se tournèrent vers Lucile. Elle était en larmes et devait faire un gros effort pour articuler quelques mots. Encouragée par le policier, elle tenta d'expliquer.

« Oui, hier soir, je me rappelle maintenant... Mon père m'a prise à part, comme quand j'étais... toute petite... et qu'il voulait me dire quelque chose à moi toute seule...

— Oui! dit le commissaire. Et alors? Que vous a-t-il dit en particulier? »

Le commissaire était extrêmement attentif aux paroles, et même aux hésitations et aux silences de la jeune fille, tout comme sa mère et son oncle qui s'étaient rapprochés d'elle et l'observaient, retenant leur souffle et échangeant des regards interrogatifs, pour deviner ce que Lucile pouvait bien savoir, qu'eux-mêmes ignoraient.

Lucile ravala ses larmes et continua, la voix brisée :

« Il m'a dit...

— Ne vous troublez pas, mademoiselle. Mais faites un effort. Tout peut être important dans une affaire de ce genre.

— Il m'a dit... : « Lucile, ne t'inquiète surtout « pas pour moi. J'ai des affaires importantes... très « importantes à régler. Mais je te jure que tout se « passera bien, qu'il ne m'arrivera rien... » Rien, répéta Lucile. Il me l'a dit, il me l'a juré deux fois. En même temps, il m'a pris la main, il me l'a serrée comme... comme jadis quand... »

Un chapelet de sanglots s'échappa du cœur de Lucile et se brisa sur ses lèvres.

Le commissaire devait l'aider. Seule, elle n'irait

jamais jusqu'au bout de ses souvenirs trop douloureux. Il saisit sa main, la serra, cherchant son regard de noyée, l'obligeant à refaire surface.

« Il vous a pris la main comme cela, dit Darbois, comme lorsque vous étiez toute petite...

— Comme lorsqu'il m'aimait... enfin, comme avant, bégaya Lucile.

— Parce qu'il ne vous aimait plus comme avant ? » s'étonna le commissaire.

Lucile secoua la tête, navrée. Hélène Serrat haussa les épaules et reprit sa fille vivement :

« Lucile! Comment peux-tu dire ça? Alors que ton pauvre père... »

Darbois demanda d'un signe à la mère de ne pas troubler davantage la jeune fille. Il fallait au contraire la mettre à l'aise et l'encourager sur la voie des confidences.

« Enfin, résuma le commissaire, il vous a donc pris la main comme jadis, il vous a conjurée de ne pas vous inquiéter, et puis?

— Et puis rien! dit Lucile. C'est tout. Mais il m'a dit cela... comment vous dire... avec un drôle d'air... Comme si...

— Comme si, au contraire, il craignait que quelque chose lui arrivât et qu'il voulait se rassurer lui-même en vous rassurant.

— Non! dit Lucile. Mon père n'avait jamais peur. En tout cas, il ne le montrait jamais. Il fonçait toujours. S'il y avait un obstacle, il le brisait. Il était... terrible. C'est moi qui avais peur.

— Peur... de quoi? Pourquoi? insista le commissaire.

— Peur, fit Lucile. C'est dans mon caractère, je crois. Et hier, il l'a senti. Et c'est moi qu'il a voulu rassurer, pas lui... Hier justement, j'étais très nerveuse. Alors il m'a parlé... pour me calmer... Mais aussi...

— Oui, dit le commissaire... Mais aussi pour quoi faire?

— Pour... m'avertir... Comme s'il savait que quelque chose devait se passer qui pourrait faire croire qu'un accident lui était arrivé...

— Lucile! » dit sa mère sur un ton de reproche.

Le commissaire la pria d'un geste de ne plus interrompre la jeune fille. Hélène Serrat haussa les épaules et se résigna à entendre la fin des élucubrations de sa fille, tandis que Sylvain la regardait, hochant la tête et portant la main à son front, pour signifier que ça ne tournait pas très rond chez elle.

« Alors? » reprit le commissaire, en serrant à nouveau la main de Lucile.

La main frissonna entre ses deux mains. La jeune fille ferma les yeux, se recueillit, puis dit doucement, presque calmement :

« Alors, je ne peux pas croire à la mort de... papa.

— Je comprends! » fit le commissaire qui ne comprenait rien et n'avait jamais rien compris aux intuitions féminines, même s'il lui arrivait souvent d'en reconnaître plus tard le bien-fondé.

Mais pour l'heure, cela ne faisait à ses yeux aucun

doute : Lucien Serrat avait été assassiné la veille au soir dans le bois de Saint-Ixe. L'enquête commençait. Une fois la victime identifiée, deux énigmes restaient à résoudre : qui était l'assassin et quel était le mobile du crime?

II

LE COUPABLE

Darbois ne pouvait plus rien tirer de Lucile, qui rentra chez elle, accompagnée de son oncle. Hélène Serrat, très obligeamment, lui proposa son aide. Elle se sentait même assez forte pour répondre immédiatement aux questions. Rien ne lui tenait plus au cœur que la découverte de l'assassin de son mari. Personne mieux qu'elle ne pourrait renseigner utilement le commissaire. Et Darbois ne put s'empêcher de rendre hommage à la dignité de cette veuve, à son courage, à cette capacité qu'ont certaines femmes de supporter l'adversité et de faire face.

Darbois confia donc le soin à deux inspecteurs de donner le signalement et le numéro d'immatriculation de la voiture de la victime. Il fallait la retrouver! Elle ne s'était pas réduite en cendres. Alors, volée? Par qui? Le voleur pouvait être aussi l'assassin, quoiqu'un vol de voiture soit souvent le fait d'un petit casseur qui, bien heureusement, ne recourt pas à de telles extrémités pour arriver à ses fins. Mais sait-on jamais?

Le commissaire confia également le soin à la brigade de gendarmerie locale de passer au peigne fin et à la loupe le lieu du crime, dans un rayon de dix mètres. Outre les traces de lutte, on pouvait retrouver des indices précieux et précis, permettant l'identification du criminel.

Deux adjoints furent chargés d'interroger les habitants de Saint-Ixe : l'un d'eux avait pu remarquer quelque chose d'anormal, entendre un bruit suspect la nuit du crime, avoir sur l'affaire sa petite idée — pas forcément bonne, mais pas toujours mauvaise.

« A mon avis, dit Mme Serrat, vous n'en tirerez rien. Les gens d'ici ne sont pas bavards avec les étrangers... »

Darbois sourit : les « étrangers », cela désignait les inspecteurs dijonnais. Il sentait cependant qu'Hélène Serrat n'avait pas tort : c'était une raison de plus pour l'interroger en détail, elle qui s'offrait à parler.

Le commissaire et la veuve se retrouvèrent face à face dans un bureau étroit et sinistre. C'est Mme Serrat qui prit la parole la première :

« Il faut excuser Lucile, monsieur le commissaire. C'est encore une enfant... très impressionnable.

— On le serait à moins, madame, fit remarquer Darbois. Elle adorait son père, n'est-ce pas ? »

Mme Serrat ne répondit pas, hocha la tête, hésita et, avec une émotion contenue, remarqua à son tour :

« Pas plus que je n'aimais mon mari. Lucien était un homme... admirable.

— Admirable! — murmura le commissaire.
— Oui. C'est le genre d'hommes que... »
Hélène Serrat s'interrompit : elle venait d'employer le présent, comme si elle-même ne pouvait croire à la mort de Lucien. Elle balbutia, incapable de se dominer cette fois :
« Comment vous dire, monsieur le commissaire? Je ne sais pas, je ne peux plus... Posez-moi des questions. Je ferai mon possible pour... »
Darbois lui laissa le temps de reprendre son souffle, d'essuyer ses yeux humides, méticuleusement, pour que le rimmel ne fondît pas en larmes noires, piquantes et brûlantes. Mais de nouveau, la femme lui offrait un visage digne, à la limite de l'impassibilité. Darbois se dit à nouveau qu'elle devait être très forte. Une femme sur qui on peut compter.
« Votre mari avait-il des ennemis, madame?
— Non! dit-elle dans un élan. Il était au contraire aimé, populaire à Saint-Ixe et dans toute la région. Il devait se présenter aux prochaines élections... Il avait déjà son mandat en poche. Il s'était assez battu pour ça!
— On se bat toujours... contre quelqu'un, en politique. Cela fait déjà au moins un concurrent, sinon un ennemi.
— Non! Il s'était battu pour quelque chose.
— Quoi au juste?
— Oh! quelque chose qui ne faisait de tort à personne, bien au contraire. Il s'agit... il s'agissait d'une usine qui devait s'implanter dans la région

et redonner vie à tous les environs de Saint-Ixe.

— Quelle sorte d'usine ?

— Oh! vous savez, monsieur le commissaire, personnellement, je n'y connais rien. Une usine pilote, atomique... mais à des fins toute pacifiques, bien entendu.

— Bien entendu! fit le commissaire en écho. Et tout le monde était d'accord ici?

— Pensez donc! Cela devait créer des emplois, freiner la dépopulation. Offrir même des débouchés très intéressants aux jeunes. Mon mari s'occupait d'ailleurs d'implanter aussi une section de formation professionnelle pour ingénieurs, avec recyclage accéléré.

— Il voyait grand!

— Très. C'est vous dire que sa mort est une perte irréparable pour tous les gens d'ici. Enfin...

— Oui? interrogea le commissaire qui sentait que Mme Serrat avait un détail important à signaler, auquel elle venait de penser brusquement.

— ... Irréparable pour tous les gens vraiment d'ici, précisa-t-elle.

— Par opposition à qui, madame?

— Pardon, mais je ne voudrais pas...

— Vous devez, madame.

— ... signaler à votre attention...

— Oui?

— Non!

— Qui? demanda Darbois, presque brusque.

— On vous en parlera bien assez vite!

— Qui, « on »?

— Les gens. Les gens d'ici, justement. Ils sont trop souvent... partiaux, injustes même. Je ne veux pas avoir l'air de charger à mon tour un malheureux, peut-être innocent... »

Darbois écoutait, observait Mme Serrat. Il aurait donné cher pour savoir ce qui se passait derrière ce masque de composition, ce qui se cachait derrière ce jeu tout en nuances, tout en silences. Qui voulait-elle protéger? Et pourquoi tant d'évidente maladresse? Si son mari avait véritablement un ennemi dans le pays, il l'apprendrait : elle-même ne le savait que trop. Dans ces conditions, à quoi bon vouloir faire gagner quelques heures à ce suspect?

Darbois échafauda un roman en trois temps trois mouvements : l'homme en question était peut-être l'amant de cette femme dont la dignité ne cachait en fait que l'indignité et surtout l'absence de peine réelle. Et elle voulait lui faire gagner du temps pour lui permettre de fuir...

Mais Darbois se reprocha aussitôt son imagination romanesque. Il s'aperçut que Mme Serrat se taisait à présent et l'observait à son tour. Elle s'était levée, prenait congé :

« Pardonnez-moi. Je suis brusquement très lasse. Je tiens le coup, et puis je... craque... »

Darbois se leva, ouvrit la porte du bureau et s'effaça pour laisser passer la veuve. Elle se retourna et lui sourit faiblement :

« Vous savez où me trouver. Je reste bien entendu à votre disposition, monsieur le commissaire. Mais je vous en prie, laissez-nous jusqu'à demain, tous les trois... mon frère, ma petite Lucile et moi... »

Darbois la laissa partir, surtout impatient de connaître l'identité de celui qu'elle avait désigné à son attention policière, bien plus sûrement encore qu'en le nommant.

Il passa donc la soirée de ce samedi en compagnie des deux adjoints chargés des sondages d'opinion locale. A vrai dire, l'IFOP ne devait avoir aucun intérêt à opérer dans ce genre de coin perdu. La population était rien moins que coopérative. Il suffisait que Darbois et ses acolytes pénètrent dans un lieu public, genre salle de bar, pour que les conversations s'arrêtent, que les regards soupçonnent, puis se tournent vers un écran de télévision qui, pour un soir, avait pourtant perdu tout attrait. Qu'importait aux témoins du drame d'hier la dramatique policière mal ficelée, et qui sonnait faux, dans ses décors bidon, avec ses comédiens resservant de semaine en semaine, d'épisode en épisode, inlassablement lassants et reconnaissables? Oui, qu'importait le film, alors que Serrat était mort pour de vrai et que l'énigme était là, à Saint-Ixe, entière, énorme, encombrante, présente dans tous les esprits?

Pourtant, dans le dernier grand café de Saint-Ixe où Darbois venait de pénétrer, le petit écran semblait attirer les regards, ni plus ni moins irrésistiblement d'ailleurs que le fond des verres. Histoire de regarder ailleurs, de se donner une contenance, de n'avoir pas à répondre aux intrus...

Darbois s'était accoudé au bar et observait la scène. Il ne comprenait que trop bien.

« Alors, monsieur le commissaire, qu'est-ce qu'on vous sert ? »

Ainsi apostrophé, Darbois se retourna : la voix à l'accent traînard était celle d'un authentique titi parisien! Quant au visage du patron des lieux, il était lui aussi fort peu couleur locale, pas jurassien pour un sou. Darbois s'en réjouit. Il commanda :

« Un demi! »

Il se dit tout bas qu'il devait se faire un allié de l'homme qui, visiblement, ne demandait qu'à engager la conversation. La ligne droite étant certes la plus courte, mais pas forcément la plus sûre pour arriver au cœur de la question, Darbois commença par remarquer, l'air entendu :

« Vous n'êtes pas d'ici, n'est-ce pas?

— Pas précisément. Montmartre, c'est pas la montagne à côté, pas vrai? D'ailleurs ici, je ne m'y fais pas... Ça fait pourtant vingt ans. Tout ça pour une fille... Ah! c'est toute une histoire, monsieur le commissaire! Mais c'est comme qui dirait du roman psychologique. Vous, ce qui vous intéresse, c'est le policier, avec des morts.

— Un suffit! dit doucement Darbois. Et la psychologie compte aussi. C'est même ce qui rend le métier difficile. Le côté scientifique passe largement après, dans la plupart des affaires. C'est pourquoi j'aimerais vous poser quelques questions.

— Faites donc!

— Une surtout : Lucien Serrat... On l'aimait par ici? »

Devant la moue de son interlocuteur, Darbois se

reprocha de n'avoir pas été plus précis dans sa question, et rectifia :

« Vous, il vous était sympathique, ce Serrat ?

— Pour ce que j'avais à en faire... Je le voyais rarement. C'était pas le genre buveur ni bavard à perdre son temps avec les gens de par ici.

— Sa femme m'a dit pourtant qu'il était très aimé dans la région.

— Oui. A cause de l'usine.

— Vous en auriez profité, vous aussi ! Elle vous aurait amené du travail, des clients...

— J'en ai bien assez pour mon bonheur et mes petits besoins locaux ! Ceci dit, j'avais rien contre Serrat ni son projet. C'est pas comme...

— Comme qui ? Enfin, connaissait-on ici un ennemi à la victime ? J'insiste pour que vous me répondiez. Ça peut être très important pour moi.

— Pour lui aussi, ça peut être grave. Moi, j'aime pas moucharder.

— Il n'est pas question de moucharder, mais de dire ce que vous savez. Si ce n'est pas vous, ce sera quelqu'un d'autre.

— J'aimerais mieux... Oh ! et puis, un peu plus tôt, un peu plus tard... De toute façon, « ils » vous lâcheraient aussi le morceau, dit le patron en jetant un regard sur les gens de Saint-Ixe rassemblés dans la salle. Et Dieu sait qu'ils le chargeraient autrement que moi, le pauvre...

— Qui ?

— Éliade, David Éliade.

— Ce n'est pas un nom d'ici! remarqua le commissaire.

— Comme vous dites! Et chez lui, ça se voit, ça s'entend, ça se sait... gros comme une montagne!

— Quel genre de type est-ce?

— Té! Un type! Il a un peu une tête de hippy, ou de Jésus.

— C'est très à la mode, dit le commissaire en souriant.

— Oui. Mais chez lui, c'est pas du toc. Ça vient de loin, de profond. C'est une question de... race. Remarquez bien que je ne suis pas raciste, moi. Pas comme eux, ici, à Saint-Ixe. Mais quand même, Éliade, ça se voit un peu trop...

— Quoi?

— Ben! Qu'il est juif, pas comme les autres, quoi. Juif et slave ou grec ou quelque chose comme ça. Émigré, comme on dit.

— A part cela, quoi d'autre à lui reprocher?

— Hé! ça fait déjà pas mal.

— Mais... pour en revenir à notre affaire, dit Darbois qui ne voulait pas s'égarer sur les sentiers des différentes formes de racismes qui partent toujours de l'idée que l'autre est différent et qui arrivent inévitablement à des réalités incroyables-mais-vraies, oui, pour en revenir à notre affaire...

— A votre affaire, dit le patron en faisant le geste de s'en laver les mains. Pour en revenir à la victime, Éliade et Serrat, c'était pas copain, copain.

— A cause de l'usine? demanda Darbois.

— Oh! question d'usine, de peau, de tout, de

rien... Au moindre prétexte, ils se chamaillaient. De préférence en public.

— Tiens! Quelle idée!

— Mais non! Logique! Rapport aux élections...

— Ah! parce que cet Éliade est candidat aux prochaines élections?

— Ouais!

— Mais... il n'a aucune chance, face à Serrat!

— Non.

— Alors? Son intérêt...

— C'est le côté drôle du type. Le côté... désintéressé, justement. Il se battait contre Serrat et son usine, pas pour gagner, mais pour empêcher Serrat de passer.

— Mais pourquoi?

— Oh! il m'avait bien expliqué, le David. Mais je ne suis pas très intelligent, pas scientifique surtout. Toutes ces questions d'atome, ça me dépasse. Même la pollution qui est si à la mode, pas vrai, eh! bien moi, j'y crois pas. A Paris, je dis pas! Mais ici... J'ai qu'à regarder le ciel...

— Parce que vous êtes croyant? dit Darbois pour dire quelque chose.

— Mais non! Parce qu'il est bleu. Et l'air est bon. Alors, je ne peux pas croire qu'une usine, une usine propre, à ce que disait Lucien Serrat, puisse salir ce ciel et cet air. N'empêche que David Éliade, il le disait, il le répétait le plus fort possible! Et il en avait pas seulement contre l'usine. Mais aussi contre le bonhomme!

— Serrat?

— Bien sûr! Il disait qu'il était sale comme son usine. Il le traitait de sale capitaliste, de sale vendu. Et l'autre le traitait de... tous les noms, de métèque, de coco, d'espion, de...

— Bon, bon, bon, grommela Darbois, peu soucieux d'écouter toute la série d'injures.

— Mais c'est pas pour ça que le type est forcément coupable! reconnut le Parisien. Vous n'allez pas l'arrêter comme ça, hein!

— Non, non, assura Darbois. En France, et malgré tout ce qu'on raconte dans la presse et à la radio, on n'arrête pas les gens sans preuves. C'est même pour cette raison, parfois, que des David et des Éliade viennent faire un tour chez nous, et pas seulement en touristes! A propos, que fait Éliade à Saint-Ixe?

— C'est bien ce qu'on se demande ici!

— Enfin, il a un métier! Vous lui connaissez bien une occupation lui rapportant autre chose que la méfiance ou l'hostilité des gens d'ici?

— Ben... non. Il paraît qu'il écrit.

— Quoi? Des livres? Des articles?

— Ben... oui. Je sais pas. Faut lui demander. »

Le commissaire prit rapidement congé. Il avait, en effet, quelques questions à poser à David Éliade...

« Pas ce soir quand même! s'exclama le patron, dont les derniers clients évacuaient la salle. Ne me dites pas qu'il est suspect au point d'être réveillé en pleine nuit!

— Non », admit Darbois.

Il serra la main que lui tendait son interlocuteur, sur le pas de la porte.

« Dans la police aussi, on fait des heures supplémentaires, pas vrai ! Mon nom, c'est René Barjou ! dit l'homme. Si vous avez besoin d'autres renseignements... »

Le lendemain dimanche matin, la DS noire de Serrat restait introuvable. Par contre, deux gendarmes avaient ramené, très fiers, une trace, précieux indice du genre de ceux dont rêvent le plus souvent en vain les commissaires pris dans la réalité quotidienne et routinière, mais qui font par contre le bonheur de tous leurs confrères de fiction.

De quoi s'agissait-il ? D'un bouton ! Les gendarmes l'avaient soigneusement désenterré, empaqueté. Si soigneusement qu'un morceau de fil marron restait prisonnier de l'un des trous. L'objet était d'un modèle fort courant. Mais bouton plus fil, c'était quand même trop beau ! En bon état de conservation qui plus est, ce qui permettait de supposer que ledit bouton avait été arraché au vêtement du ou des criminels... OU de la victime. Celle-ci étant déjà identifiée, il ne restait plus qu'à souhaiter qu'il ne lui appartînt pas.

Souhait exaucé : Mme Serrat ne connaissait pas de costumes, et donc pas de boutons de cette couleur à son mari. De plus, celui-ci était plutôt coquet et se faisait faire complets et pardessus sur mesure. Rien de commun avec la qualité de la... chose présentée.

« A propos, monsieur le commissaire, demanda Hélène Serrat au moment où Darbois prenait congé, s'excusant de l'avoir encore dérangée, à propos... vous a-t-on parlé de...

— David Éliade? Oui.

— Ah! Et qui?

— René Barjou, le patron du...

— Mais n'oubliez pas qu'ils sont plus ou moins amis!

— Amis! s'exclama Darbois. Je ne m'en serais pas rendu compte!

— Pas vraiment amis, non. Mais je voulais dire... ils ne sont ni l'un ni l'autre du pays. Si les gens d'ici vous en parlent, ce sera...

— Pire? »

Hélène Serrat hocha la tête.

« Mais vous-même, madame, qu'en pensez-vous?

— Il n'aimait pas mon mari. Donc, je ne l'aimais pas beaucoup. Mais je crois que depuis hier, depuis cette nuit surtout, où j'ai tellement réfléchi, oui, je crois que je le... déteste. »

Darbois vit passer dans le regard de la veuve un éclair qui ressemblait en effet à de la haine, mais une haine froide, glaciale comme une lame.

« Bien entendu, dit doucement Darbois, le fait que cet homme soit un étranger et un juif n'y est pour rien.

— Monsieur le commissaire! Comment peut-on être raciste à notre époque?

— Comment peut-on... C'est ce que je me

demande. Mais je vous remercie de la sincérité de votre réponse.

— Vous savez, j'ai les idées larges. Je ne compte même pour rien le fait que cet homme soit notoirement communiste. »

Darbois se força à ne pas sourire : Hélène Serrat venait de se trahir, s'en rendit compte aussitôt et tenta d'effacer la mauvaise impression faite sur le commissaire.

« Communiste ou anarchiste ou... Enfin, c'est pareil.

— Pas vraiment! ne put s'empêcher de remarquer Darbois.

— Je voulais dire, c'est pareil pour l'idée que vous ou moi devons nous en faire. Il ne faut pas le juger sur ses idées politiques, même si ce ne sont pas les nôtres — enfin, pas les miennes, c'est-à-dire pas celles de mon mari. Il faut le juger objectivement, sur des faits, des indices. »

Hélène Serrat jeta un coup d'œil au bouton que Darbois semblait soupeser, comme pour estimer l'importance de ces quelques grammes d'ébonite pour la suite de son enquête et dans le destin d'un homme : David Éliade. Le commissaire prit rapidement congé de la veuve, pour aller rendre visite à la brebis galeuse d'où venait peut-être tout le mal.

David Éliade habitait un modeste chalet, à l'écart de Saint-Ixe. Quand Darbois frappa à la porte, il entendit une voix lointaine et chantante lui dire :

« Entrez! »

Il entra. Il se trouva dans un univers bizarre, une vaste pièce entièrement tendue, plafond et murs compris, de tapis de laine. Pas de meuble à proprement parler, mais des poufs disséminés sans ordre apparent. Il fallait que le commissaire fût confronté à ce décor pour se rendre compte, à retardement, à quel point la villa des Serrat était bourgeoisement cossue, et rustiquement, solidement jurassienne, l'auberge où il était descendu, ou bien la demeure de tel ou tel habitant de Saint-Ixe où il n'avait fait que passer, pour glaner quelques renseignements sur David Éliade.

« Je vous attendais » dit celui-ci.

Il avait une voix excessivement douce. Un visage d'enfant barbu où l'on ne remarquait que des yeux verts, si clairs que le regard semblait parfois bizarrement absent, ailleurs... en dépit d'une tout aussi étrange présence. Avec cela, un corps d'adolescent frêle et vulnérable. Et pas d'âge. Peut-être la quarantaine, à dix ans près, en plus ou en moins.

Bref, un être très difficile à situer. Les solides montagnards de la région avaient dû y renoncer tout de suite, pour le classer « à part ». Mais Darbois devait s'en faire une idée plus juste, plus précise.

« Oui, je savais que vous viendriez ici. Par curiosité professionnelle. Surtout qu'ils vous ont parlé de moi. »

Darbois hocha la tête, pous signifier que oui.

« Ils ont dû vous dire que je détestais Serrat. »

Darbois hocha la tête, pous signifier que non, que ce n'était pas exactement le cas. Mais David tint lui-même à bien mettre la chose au point.

« Mais c'est vrai. Je le détestais. Je me détestais de le détester, et je ne l'en détestais que davantage.

— Que de haine! s'exclama Darbois.

— Oui. C'est très laid, dit la voix très douce. Mais Serrat était très laid. De l'intérieur, bien sûr. Il était pourri. Jusqu'au cœur. Mais il n'avait pas de cœur.

— Même pour les siens...

— Si. Pour sa fille, jadis. »

« Jadis. » Qui avait dit « jadis » sur ce ton, en évoquant l'amour passé de Serrat pour sa fille? Mais oui! C'était Lucile elle-même. Contredite par sa mère. Mais Lucile quand même, qui avait insisté sur ce point douloureux pour elle. Comment David Éliade savait-il ce « détail », lui qui n'était dans la région que depuis quelques mois? Connaissait-il Lucile ou Lucien depuis plus longtemps? Le mieux était de le lui demander tout simplement...

« Comment le savez-vous, monsieur Éliade?

— Je le sais, commissaire. »

Un point, c'était tout. Éliade irrita brusquement Darbois, qui lui fit remarquer :

« Monsieur le commissaire.

— Monsieur le commissaire », répéta-t-il docilement... mais avec un tel air de se moquer du conformisme et des corps constitués de l'État, que Darbois lui fut profondément hostile une seconde. Cela ne dura pas davantage, car lorsque David le voulait bien, et il le voulait souvent, il émanait de lui un charme étrange, un pouvoir de séduction auquel Darbois se sentait infiniment sensible. C'en était inquiétant. Il l'écouta, qui continuait doucement :

« Serrat était un être doué d'un grand pouvoir maléfique. Un individu dangereux.

— Moins que le criminel qui l'a assassiné dans la nuit de vendredi à samedi.

— Mille fois plus, monsieur le commissaire. La preuve, c'est que ce criminel, vous allez vous mettre à dix, à cent, à cent mille contre lui, avec vos lois et toute votre organisation répressive. Vous allez en venir à bout, fatalement. Tandis que Serrat, on ne pouvait rien contre lui.

— La preuve que si! Dois-je vous rappeler qu'il est mort?

— Ce n'est pas inutile en effet, dit David Éliade avec un ineffable sourire.

— Cette mort vous satisfait visiblement.

— Elle me comble.

— Et si elle vous perdait?

— Elle sauve la région d'un grand danger. Elle sauve peut-être l'Europe et même le monde », renchérit-il, l'air exalté. Puis il ajouta, comme s'il le regrettait presque :

« Et je suis innocent de cet acte.

— De ce crime, rectifia Darbois. Au fait, que faisiez-vous dans la nuit de vendredi à samedi?

— Je méditais. Je médite beaucoup, parce que je dors très peu. Surtout ici où l'air me convient mal. Pour moi, il est même... irrespirable.

— Hmm! fit Darbois, se demandant si Éliade parlait au propre ou au figuré. Et bien entendu, vous méditiez sans témoin.

— Bien entendu! Ici, je n'ai pas d'amis, pas de disciples.

— Vous aviez un ennemi. Serrat. On m'a dit que vous vous étiez disputé violemment avec lui, dans l'après-midi de vendredi.

— Lui était violent. Pas moi.

— Vous l'avez quand même menacé...

— Non. C'est lui.

— En tout cas, c'est lui qui est mort.

— Puisque vous me le dites, monsieur le commissaire... »

David Éliade affichait un air de doute qui énerva de nouveau le commissaire. Celui-ci fouilla dans sa poche et en sortit ce qui pouvait être un argument sans réplique contre l'homme. Mais à peine eut-il présenté le bouton sur sa paume et sous le nez de David, que Darbois regretta d'en être venu si vite à ce genre d'arguments. Il connaissait encore bien mal le personnage — car c'était un personnage, et même le plus intéressant de l'affaire pour le moment.

« Et ça, qu'est-ce que c'est pour vous? demanda Darbois.

— Pour moi, rien. Pour vous, certainement un indice capital. C'est-à-dire susceptible de faire tomber la tête du coupable et de vous procurer un avancement dans la hiérarchie policière. Je me trompe?

— Peut-être que non, monsieur Éliade. Mais regardez bien ce bouton marron. Il serait du plus mauvais effet qu'on retrouve ensuite chez vous une veste ou un gilet marron... auquel il manquerait un bouton...

— Je n'aime pas le marron. Je n'en porte jamais. Et si ce bouton appartenait à l'un de mes vêtements et si c'était le vêtement du crime, vous pensez bien que je l'aurais fait disparaître soigneusement.

— Évidemment. »

Darbois en convint en souriant, se rappelant seulement l'incroyable maladresse de certains criminels qui — malheureusement pour eux, mais heureusement pour les policiers — commettent des gaffes autrement énormes. Tout est toujours et partout, dans la vie, dans le crime, dans la police, une question de chance. Et d'habileté.

Mais David Éliade semblait sûr de lui comme... Tiens! Comme Hélène Serrat. Les deux êtres que la mort de la victime aurait dû toucher le plus près (quoique pour des raisons entièrement différentes!) opposaient au regard du commissaire un calme étrange — ou étrangement bien joué. Comment savoir, pourquoi? Enquête à suivre. Et Darbois suivait, très attentif, de plus en plus intéressé.

Pour en savoir plus sur les rapports entre Éliade et Serrat, il offrit à son interlocuteur l'occasion d'enfourcher son cheval de bataille favori : l'usine. Aussi étaient-ils en pleine discussion lorsque frappèrent les deux officiers de police.

Éliade ne les entendit même pas, mais s'interrompit dans sa péroraison pacifiste en les voyant entrer comme en pays conquis.

« Excusez-nous! dit Darbois. Simple formalité.

— Faites comme chez vous, dit le suspect en souriant. Je ne vous demande même pas s'ils ont un mandat de perquisition.

— Ils l'ont, mentit avec aplomb le commissaire.

— Ou ils l'auront demain. Alors, aujourd'hui ou demain... » ajouta David Éliade, en homme pour qui ce genre de détail n'avait guère d'importance.

Le commissaire reprit l'entretien interrompu.

« David Éliade, c'est un nom...

— Un nom roumain et un prénom juif. Et moi je suis citoyen du monde. Je sais, ça fait sourire, mais j'ai ma carte. Je paie même une cotisation. »

Il rit doucement.

« De quoi vivez-vous?

— En attendant d'être député... dit-il gravement, je...

— Vous y croyez?

— Un citoyen du monde a peu de chance à Saint-Ixe, admit-il. Mais je me bats.

— Je sais. Mais ça ne vous fait pas vivre?

— Si. Surtout que je vis de très peu. J'ai des amis, j'ai aussi les droits d'auteur de quelques livres, de temps en temps une pige de journaliste, des traductions de russe ou de roumain en français. Rien de très sérieux pour un commissaire, n'est-ce pas, monsieur le commissaire? Pourtant ici, on n'arrête pas les gens pour si peu. On les interroge, on les fouille, on les suspecte, mais... »

Darbois n'aimait pas tellement l'ironie douce de son client, surtout qu'il n'avait rien contre lui. Jusqu'à cette seconde où l'un de ses adjoints fit irruption dans la pièce, au comble de l'excitation.

« Monsieur le commissaire, vite, venez! »

Qu'y avait-il donc de si urgent, ou de si important? Darbois emboîta le pas de son adjoint, suivi du maître des lieux, toujours aussi maître de lui. Que pouvait craindre David Éliade, assurément non coupable dans cette affaire, parce qu'absolument incapable de tuer un homme?

Voire.

Darbois se retrouva dans une remise contiguë au chalet, sorte de débarras obscur et désordonné. Mais une lampe torche braquée vers le sol amena son regard droit sur... une veste de gros lainage marron. Il la prit d'une main tremblante, sûr de trouver... ou plutôt de ne pas trouver le bouton que, de l'autre main, il rapprochait de ses frères jumeaux.

« C'est pas tout! » fit l'un des deux policiers.

Il désignait un trou creusé à même la terre meuble : au bord de l'orifice, déterré, un bidon à demi-plein de pétrole, en tous points semblable au récipient vide trouvé sur les lieux du crime et qui avait servi de toute évidence à arroser le corps.

« Et ça? » dit encore le policier.

« Ça », c'était une paire de chaussures maculées de boue. Le policier appliqua la semelle contre la terre molle, puis la retira, en laissant une empreinte extrêmement nette et semblable à l'empreinte relevée sur les lieux et dont l'autre policier étalait fièrement l'image.

C'était accablant. C'était même trop. Trop beau. Était-il possible que cette enquête, à peine commencée, fût déjà terminée, dans ce réduit minable, à cause de ces pièces à conviction sordides ?

David Éliade était sur le pas de la porte, souriant, comme inconscient de l'acte qui se jouait, inconscient du fait qu'il en était le centre même.

« Et alors ? Qu'est-ce que cela prouve ? » dit-il « innocemment ».

Darbois se demanda à qui il jouait la comédie, et s'il le faisait vraiment exprès. Qu'est-ce que cela prouvait ? Mais...

« Tout ! répondit-il, se demandant en même temps s'il se sentait plus soulagé qu'accablé lui-même.

— Encore faudrait-il que tout cela (et du pied, David désignait les trois objets qui l'accusaient) m'appartînt.

— Ce qui est chez vous est à vous. C'est logique... c'est même légal. En fait de meubles, possession vaut titre.

— Reste à le prouver ! dit David Éliade.

— Non. Cette fois, la charge de la preuve vous incombera. Et moi, je vous arrête. »

Darbois se sentait très commissaire dans l'exercice de ses fonctions, mais en même temps très mal dans sa peau de flic, gêné aux entournures. Pourquoi Éliade avait-il l'air, lui, de se sentir si à l'aise dans son rôle d'accusé ? C'était injuste. Les rôles inversés.

Darbois avait posé une main ferme sur l'épaule de David Éliade.

« C'est une erreur policière! dit celui-ci.

— Venez! »

Darbois ne voulait... ne pouvait plus discuter. A ses yeux, l'homme était coupable. Il s'en voulut — il lui en voulut — de l'amitié instinctive qu'il avait cru ressentir à son égard, tout comme Éliade s'en voulait et en voulait à Serrat de la haine qu'il lui avait portée.

Darbois soupira : la haine comme l'amitié sont parfois mauvaises conseillères. Enfin, tout était bien qui finissait bien, puisqu'il tenait un coupable. Le coupable.

III

CHARGES ACCABLANTES

L'interrogatoire ne menait à rien, sauf à d'inutiles brutalités. Deux policiers étaient chargés de faire parler David Éliade, qui voulait bien parler, mais certainement pas avouer. Et sa douceur entêtée avait le don d'exaspérer les deux hommes depuis près de trois heures.

Darbois, mal à l'aise, alla aux nouvelles.

« Alors ? demanda-t-il.

— Toujours rien. Il fait le con. »

David Éliade, obstinément, niait donc l'évidence.

« Puisque je vous dis, répétait-il pour la énième fois, que je n'ai jamais porté, jamais vu ce vêtement...

— Il te va ! objecta un policier.

— Et alors ! Essayez-le. Il vous ira aussi. Ce n'est pas pour cela que vous avez assassiné Serrat ! s'exclama David.

— Et les chaussures. Elles, elles ne me vont pas ! Tandis qu'à toi, oui !

— A moi, oui. Mais je ne suis pas le seul bonhomme de la région à chausser du 40.

— Non. Mais tu es le seul à avoir un réduit où

tu caches des pièces à conviction qui en feraient guillotiner d'autres...

— Je suis surtout le seul à ne pas être d'ici. C'est pourquoi vous vous obstinez contre moi. Mais vous n'aurez pas ma peau.

— Que faisais-tu dans la nuit de vendredi à samedi ?

— J'étais chez moi !

— Attendez ! fit Darbois. Laissez-moi seul avec lui » dit-il aux deux policiers.

Il tendit une cigarette à David, qui la refusa, mais accepta un verre d'eau. Il but, comme on se recueille. Puis il se retourna vers le commissaire. Il avait vieilli de dix ans en quelques heures. Il passa une main derrière sa nuque et se massa, l'air douloureux. Darbois aperçut, à travers l'échancrure de la chemise défaite, une trace de coups. Il s'approcha de l'homme et demanda vivement :

« On vous a frappé ?

— Non. Ce n'est rien. »

David ferma brusquement sa chemise. Qui prétendait-il couvrir ? Certainement pas des flics qu'il devait vomir. Alors ?

Vivement, Darbois échancra de nouveau la chemise. Sur la peau, il y avait des traces bleuâtres, blêmes. Des traces de coups, à n'en pas douter, mais qui remontaient à quelques jours...

« Qui vous a fait ça ? demanda-t-il.

— Je ne sais pas. Je vous jure que je ne sais pas.

— Ça remonte à quand ?

— Vendredi.

— Matin? Soir? Et si c'était dans la nuit de vendredi à samedi précisément...

— Et si c'était! ricana David. Qu'est-ce que ça changerait?

— Bien des choses peut-être. Vous ne savez pas qui vous a fait ça? Mais où est-ce que cela se passait? Pas chez vous, pendant que vous... méditiez, m'avez-vous dit? Malgré tout votre pouvoir de concentration qui doit être grand, je ne puis vous croire capable de vous abstraire des contingences matérielles au point de...

— C'était dehors.

— Tiens! fit le commissaire. Vous m'aviez caché cela... Alors? Que s'est-il passé?

— Je ne sais pas! dit David doucement.

— Ah! non, vous n'allez pas recommencer à jouer ce petit jeu avec moi? Vous seriez de toute façon perdant, Éliade! Alors, répondez! Dites-moi ce que...

— Je ne sais pas! » répéta l'homme, plus fermement.

Darbois se sentit des envies de cogner, pour égratigner ce bloc d'obstination. Mais il se contint : il détestait la violence en général et, dans ce cas très particulier, elle était absolument inutile. Donc...

« Que faisiez-vous dans le bois de Saint-Ixe, cette nuit de vendredi? demanda calmement Darbois.

— Je ne vous ai pas dit que j'étais dans le bois!

— Quelqu'un d'autre s'en est chargé! Quelqu'un qui vous a vu.

— Qui?

— Ici, c'est moi qui pose les questions.

— Il ment, murmura Éliade.

— C'est une femme. »

David Éliade eut un sourire très ironique. Il ne réfléchit pas longtemps avant de murmurer :

« Agathe Monmart.

— Exact! acquiesça Darbois. Vous voyez bien que...

— Elle ment. Elle me déteste.

— Plus que les autres gens d'ici?

— ... Même pas, admit-il.

— Cette femme est venue témoigner tout à l'heure. De chez elle, de sa fenêtre du premier étage, elle vous a vu vous diriger vers le bois, aux environs de minuit.

— Le lieu et l'heure du crime... ironisa David Éliade. Elle ment! reprit-il doucement.

— C'est vous qui mentez » reprit Darbois, plus doucement encore.

Les deux policiers apparurent sur le seuil de la porte. Ils avaient repris des forces après la pause, et voulaient maintenant continuer l'interrogatoire. Darbois leur fit signe qu'il n'avait pas besoin d'eux pour l'instant. Il tâtait avec le suspect de la manière douce. Les deux agents se retirèrent donc, visiblement déçus.

« Pourquoi mentez-vous? reprit Darbois.

— Je n'ai pas confiance en vous, murmura Éliade.

— Là, vous avez tort! remarqua le commissaire.

Je suis peut-être... je suis sûrement le seul dans cette affaire qui ne vous soit pas a priori hostile. Alors, aidez-moi à...

— Me perdre ! C'est votre affaire !

— A vous aider ! rectifia Darbois. C'est votre affaire autant, sinon plus, que la mienne. Donc, reprit-il, qu'alliez-vous faire dans le bois de Saint-Ixe, vendredi dernier vers minuit ?

— J'avais rendez-vous.

— Tiens ! » fit Darbois qui se demanda pourquoi Éliade ne trouvait pas mieux comme mensonge. Mais peut-être ne mentait-il pas, justement. La vérité semble souvent si mal ficelée, si peu croyable que la plupart des innocents lui préfèrent un mensonge bien fignolé.

« On m'avait donné rendez-vous.

— Qui « on » ?

— Je ne sais pas. Par un billet...

— Que vous avez jeté, naturellement ?

— Naturellement.

— Et qu'est-il arrivé ? interrogea Darbois, très curieux de ce qu'il allait entendre.

— On m'a sauté dessus...

— Qui « on » ?

— ... battu. Je me suis défendu. Mais ils étaient plusieurs.

— Vous ne les connaissiez pas, ces hommes ? Vous n'avez pas reconnu... Serrat, par exemple ?

— Non. Mais...

— Mais quoi ? aboya Darbois.

— J'ai pensé qu'il pouvait s'agir d'hommes à

lui. Histoire de me faire payer la dispute de l'après-midi, où je l'avais ridiculisé. Mais, bien sûr, Serrat n'est pas... n'était pas homme à mettre lui-même la main à la pâte et à risquer de se compromettre.

— Et après ?

— Après... rien. J'ai dû perdre connaissance. Je me suis retrouvé au petit matin chez moi. J'aurais pu croire que rien ne s'était passé, que j'avais tout rêvé, sans ces traces. »

Cette fois, Éliade avait dégagé sa poitrine.

« Vous voyez, monsieur le commissaire, c'est la preuve que je ne vous mens pas, cette fois !

— C'est la preuve qu'il y a eu lutte, en effet. Mais ces coups ont tout aussi bien pu vous être donnés par Serrat. J'imagine assez bien une dispute entre vous deux, un règlement de comptes qui tourne mal. Serrat reçoit un mauvais coup, tombe. Il est mort. Affolé, vous allez essayer de rendre le corps méconnaissable. Et vous y réussissez parfaitement... à quelques grammes d'or près. Vous avez oublié cette alliance qui ne fondra pas. On ne saurait penser à tout, en certaines circonstances. Vous ne dites rien, Éliade ? demanda le commissaire à l'homme penché sur lui-même.

— Puisque c'est vous qui parlez...

— Parce que vous n'avez rien à dire ?

— Je n'ai jamais frappé, jamais tué. Ni un homme, ni une bête, même pas un Serrat.

— Mais comment expliquez-vous la présence chez vous des objets qui vous accusent : le manteau, les chaussures, le bidon ?

— Je n'explique pas. Je suppose qu'on les a apportés chez moi.
— Qui « on »?
— Je ne sais pas.
— Et pourquoi?
— Pour me faire endosser le crime.
— Ce pourrait être le criminel, raisonna Darbois.
— Sans doute.
— Mais qui avait intérêt à la mort de Serrat? Qui d'autre que vous?
— Je ne connais pas les ennemis intimes de cet homme.
— Et qui vous en voulait assez, à vous, pour maquiller ce crime et vous le faire supporter, monsieur Éliade?
— Le monde entier. Je suis juif et émigré, ne l'oubliez pas, monsieur le commissaire.
— Si vous y pensiez un peu moins souvent, si vous n'aviez pas cette manie de la persécution propre à votre race...
— La faute à qui? » murmura Éliade.

Darbois se leva, très nerveux. Cet homme avait beau jeu de renverser la situation, de telle sorte que lui, le non-juif, « le flic », se retrouvait une fois de plus en position inconfortable.

De toute façon, cette histoire de rendez-vous dans un bois à minuit avec des inconnus ne tenait pas debout. Éliade se moquait de lui. Darbois en avait assez.

Il sortit, appela les deux policiers et leur livra à nouveau celui qu'ils devaient faire parler.

Puis il se précipita au-dehors, pour respirer un peu l'air pur de Saint-Ixe. Il tomba sur Agathe Monmart, qui avait encore des révélations à faire. Il ne pouvait pas la renvoyer. Tous les témoignages doivent être pris en considération a priori dans une enquête.

Il la fit entrer et asseoir.

Ce n'était pas lui qui avait recueilli la première déposition de cette femme, mais un de ses inspecteurs, qui avait conclu tout net :

« Voilà ce qu'elle raconte... Mais elle est piquée. »

Au début, Darbois n'avait donc pas cru à son témoignage, si accablant pour David, mais celui-ci en avait reconnu lui-même la véracité. Aussi le commissaire se promit-il d'être très attentif aux nouvelles révélations d'Agathe Monmart, tout en s'expliquant mal la défiance instinctive et l'espèce de malaise qu'il ressentait maintenant en sa présence.

Il avait déjà pris quelques renseignements à propos d'Agathe Monmart, maîtresse femme de cinquante ans, qui avait épuisé jusqu'à ce que mort s'ensuive, conjugalement ou hors mariage, quatre mâles. Depuis cinq ans, la solitude avait ébranlé son psychisme. Elle avait fait une cure dans une maison de repos, mais en était sortie plus malheureuse et plus malade qu'elle n'y était entrée : car à ce genre de femmes il fallait tout, hormis du repos. Comment un médecin avait-il été assez peu psychologue pour faire une telle erreur de diagnostic ?

Les langues de Saint-Ixe s'étaient un peu déliées,

et Darbois avait appris avec quelque surprise l'existence d'une ébauche de liaison entre David et Agathe. Ainsi qualifiait-on, avec des regards lourds de sous-entendus, la tentative de rapprochement de la femme. Fascinée, hypnotisée par le regard de l'homme, ne se demandant même pas lequel des deux serait la proie de l'autre, Agathe avait multiplié les pèlerinages au chalet. Mais David ne lui avait pas réservé l'accueil espéré. Que s'était-il passé — ou que ne s'était-il pas passé — entre ces deux êtres si différents ?

Darbois, comme souvent, qualifia de « professionnelle » sa curiosité, et posa tout naturellement la question à Agathe :

« Quels furent au juste, madame, vos rapports avec le suspect ? »

Agathe Monmart prit très mal et de très haut la question. Les rapports n'avaient pas dû être bons. Elle les nia purement et simplement, déclarant :

« Je n'ai rien à voir avec cet homme. D'ailleurs, c'est un déséquilibré. Une sorte de fou, dans son genre. Je dirais même de fou dangereux, sous des allures inoffensives. Enfin, puisqu'on a fini par l'arrêter ! »

Elle cessa de s'agiter sur sa chaise, comme si le fait que David Éliade fût en prison rétablissait l'ordre universel et sa paix intime.

« J'ai d'autres détails à vous donner à propos du crime sordide de la nuit maudite... »

Darbois tiqua : il crut l'entendre réciter un mauvais feuilleton. La femme s'en aperçut et continua, gonflée de l'importance toute neuve que lui conférait sa qualité de témoin de l'affaire :

« Ça va faire le gros titre du *Bien public* à Dijon, susurra-t-elle. Parce que, il faut m'excuser, monsieur le commissaire, mais j'ai déjà été sollicitée par la presse et...

— Je regrette de n'avoir pas la primeur de vos informations, madame Monmart.

— Ça paraîtra demain! dit-elle sur le ton d'une gosse qui rêve à la veille de Noël. Mais j'ai pensé qu'il était de votre intérêt et de mon devoir de ne pas attendre pour...

— Je vous écoute! soupira Darbois.

— Voilà. Non seulement j'ai vu cet individu se diriger vers le bois, mais j'ai entendu des cris, un bruit de lutte. Et j'ai reconnu très dis-tinc-te-ment les voix de Lucien Serrat et de son agresseur.

— Qu'est-ce qui vous permet de dire qu'Éliade était l'agresseur, et que ce n'était pas l'inverse?

— Ah! fit Agathe Monmart, interrompue, irritée, perdant le fil de son discours, si vous ne me laissez même pas parler... J'allais vous dire que j'ai entendu très dis-tinc-te-ment l'homme proférer des menaces contre sa victime...

— Très distinctement! souligna Darbois. Vous avez donc l'oreille très fine, madame Monmart.

— Très, monsieur le commissaire. Et n'oubliez pas que ma maison est proche de l'orée du bois... Une trentaine de mètres seulement.

— Cela fait beaucoup pour entendre très distinctement.

— Et puis, il y avait le vent, ce soir-là. Le vent d'Est qui chassait le bruit de mon côté. »

Darbois n'avait pas pensé au vent et admit cette explication. Il lui faudrait vérifier la puissance dudit vent, et la distance de la maison Monmart au lieu de la lutte et du crime.

« Et puis j'ai vu des flammes, dit encore la femme. J'ai cru à un incendie de forêt, et même, j'ai eu peur, à cause du...

— Du vent ? » demanda Darbois.

Agathe Monmart perdit un court instant son assurance. Il y avait une faille évidente dans sa mémoire, son raisonnement. Le commissaire en profita pour y glisser sa question tout bêtement logique :

« Mais, comment ce vent amenait-il jusqu'à vous des paroles, des menaces distinctes, et non le feu qui aurait dû menacer tout le bois et même votre maison si proche ?

— Si vous croyez que j'ai eu le temps de réfléchir à tout ça ? J'avais bien plus peur des deux hommes, du règlement de comptes, que du feu et du vent !

— Mais vous soutenez cependant qu'il y avait du feu, et du vent ? »

Mme Monmart soutint énergiquement. Elle donna de nouveaux détails, qui accablaient un peu plus David Éliade. Mais à quoi bon ? Il était coupable. Les charges contre lui étaient suffisamment accablantes. Et le commissaire, soudain très las, avait envie de s'écrier : « Assez ! C'est assez ! C'est même trop contre un seul homme. » En tout cas, en tant que responsable de l'enquête, il était comblé.

Le commissaire Darbois put remettre au juge d'instruction un dossier complet :

« Voilà une affaire rondement menée! approuva le magistrat. Si tous les cas étaient si simples...

— Trop simple, murmura Darbois.

— N'allez pas vous plaindre parce que la mariée est trop belle, cher ami! »

Le juge referma le dossier, enleva ses lunettes « pour voir de près », les remit dans leur étui, prit ses lunettes « pour voir de loin » — c'est-à-dire à trois mètres, de l'autre côté de son bureau. Il connaissait pourtant par cœur les traits de son vieil ami Darbois. Mais il ne voulait pas manquer la tête d'un policier pas tout jeune et plus du tout romantique, regrettant d'avoir trop vite réglé une affaire trop simple! Ses yeux de myope s'arrondirent, clignèrent et durent se rendre à l'évidence : Darbois n'avait pas l'air content, pas même soulagé.

« En tout cas, dit le juge, votre David Éliade, je l'inculpe et je le boucle.

— Évidemment oui! dit le commissaire.

— Et je ne voudrais pas être à la place de son avocat!

— Évidemment non. Quoique...

— Les causes perdues d'avance... Il faut être très, très fort! murmura le juge.

— Alors, je souhaite sincèrement à l'accusé un type très bien. »

IV

UN HOMME À SAUVER

« Sébastien!
— David! »

Les deux hommes se retrouvèrent, très émus. Après une guerre qui avait transformé en cauchemar leur adolescence, ils s'étaient connus prématurément adultes et marqués, suivant sur les mêmes bancs universitaires des cours de philosophie, luxe qui leur revenait très cher et qu'ils se payaient en faisant un peu tous les métiers. Figurants de théâtre, garagistes, débardeurs aux Halles, pigistes dans une grande agence de presse... Pour économiser sur les frais généraux, ils avaient partagé la même chambre, et souvent les mêmes repas, les mêmes filles.

Puis leurs destins avaient divergé. David, refusant de retourner au pays natal devenu trop inhospitalier et retournant aux sources de sa race, avait tenté avec d'autres pionniers l'aventure israélienne. Sébastien, plus avide de se détruire que de construire, parce que plus inquiet et doutant perpétuellement de tout et de lui-même, était devenu hippy avant l'heure, alors que la mode n'était qu'aux blousons noirs et autres casseurs. Lui aussi avait voyagé, aux États-Unis puis « en fumée », s'envoyant tristement en l'air.

Mais on revient de tout, de tous les enthousiasmes et de tous les désespoirs. Ils s'étaient de nouveau rencontrés à Paris : David n'avait jamais voulu croire que Sébastien fût devenu avocat. Cela lui ressemblait si peu. Il comprit mieux, se rappelant le côté saint-bernard de son ami, quand celui-ci lui expliqua que c'était pour aider des copains plus démunis, plus désespérés que lui, des types qui avaient fait des bêtises, des drogués le plus souvent, qu'il comprenait mieux que les autres pour en avoir été jadis, et s'en être sorti Dieu sait comment.

Quant à Sébastien, incrédulité pour incrédulité, il ne pouvait comprendre comment et pourquoi David faisait de la politique! Lui, le doux rêveur, l'idéaliste, le poète, le philosophe, se jetait dans l'arène, se déclarait prêt à affronter les « réalités »... Comme s'il savait seulement ce que c'était!

« Tu verras! J'apprendrai! On se retrouvera, avait prophétisé David.

— Que Jahvé t'entende, avait ironisé — à peine — Sébastien.

— Je ne crois plus en Dieu », avait dit doucement David, les yeux perdus, noyés. Mais il avait ajouté, fermement : « Je crois en l'Homme. En son salut qui ne peut lui venir que de lui-même. »

Pauvre David, quasiment perdu à présent...

« Écoute, David, je ne suis pas l'avocat qu'il te

faut! assura Sébastien après avoir pris connaissance du dossier.

— Tu es l'ami dont j'ai besoin, répondit simplement David.

— Ami, tant que tu veux. Avocat, non! Il te faut un grand type. Moi, je suis spécialisé dans des affaires minables de camés minables. Des pauvres gosses qui risquent... enfin, qui ne risquent pas...

— Leur tête. Tandis que moi... Mais dis, toi, tu sais que je ne suis pas coupable!

— Oui. Parce que je te connais, David.

— Et si j'avais changé? » dit David en tendant un piège à son ami, en se faisant son propre procureur, c'est-à-dire l'avocat de ce diable qui sommeille en tout homme et risque de se réveiller comme un volcan dont on ignorait jusqu'à la nature meurtrière.

Mais Sébastien n'était pas tombé dans le piège. David l'avait conjuré de rester à ses côtés, et Sébastien avait dit oui, finalement — parce que David était un ami, un homme à sauver.

Mais...

Mais il était déjà très tard. Trop tard peut-être. Le commissaire Darbois et ses adjoints avaient fait si vite, si bien... Sébastien Labbé cherchait, derrière les verres épais et brillants, le regard du juge.

« Quelques feuillets dans une chemise, quelques témoignages manifestement partiaux, quelques jours d'enquête hâtive, et un homme se retrouve accusé de meurtre, prisonnier...

— Une seconde de folie, un coup de feu et il se retrouve coupable! rétorqua le juge. Les criminels sont bien plus expéditifs que les policiers, dans ce genre d'affaires.

— Si vous connaissiez mon ami...

— De votre client je ne connais, je ne veux connaître, que les charges matérielles écrasantes qui pèsent contre lui et alourdissent considérablement un dossier... que je ne trouve pas aussi léger que vous, cher maître. Cet homme a tué. Le seul doute qui reste concerne sa part de responsabilité. Je ne vous apprendrai pas qu'avec la légitime défense, aux Assises, on peut faire des miracles. »

Bien sûr, Sébastien aurait pu invoquer cet argument : David, attiré de nuit dans le bois, pris à parti par son adversaire, en venant aux mains avec lui, se défendant, ripostant, portant finalement un mauvais coup, et puis s'affolant, essayant de maquiller le crime en accident, et de rendre le corps non identifiable, faisant disparaître — mal d'ailleurs, avec la fébrilité de l'amateur qui n'a pas prémédité son geste — les objets susceptibles de l'accuser, et retrouvés par la suite, maladroitement dissimulés chez lui...

Oui, l'avocat y avait pensé. Mais son ami avait déjà refusé. Puisqu'il n'était pas coupable!

Si donc le client s'entêtait, le juge d'instruction pouvait lui trouver une responsabilité atténuée. David Éliade avait tout à fait la tête de l'emploi, avec ses traits émaciés, sa frêle et presque maladive silhouette, et surtout son regard égaré, fasciné autant que fascinant.

Mais cette fois, c'était Sébastien qui refusait

cette planche de salut pourrie. Certes, il savait que des experts psychiatres étaient capables de trouver un grain de folie dans la tête de n'importe quel sage! Mais il savait aussi les inconvénients de ces expertises, contre-expertises et contre-contre-expertises qui se contre-contredisaient plus ou moins grossièrement et dialectiquement, pour conclure le plus souvent à une irresponsabilité partielle (qui est plus ou moins l'état de tout être, criminel ou non).

Alors... pourquoi s'enliser dans le marais psychiatrique?

Non! Décidément, il fallait trouver autre chose. Mais quoi? Et comme Sébastien Labbé se sentait démuni, incapable! Pas du tout l'homme de cette situation inextricable.

Pour sortir David de ce piège et de cette prison préventive où la justice française risquait de le faire moisir au moins un an, dans l'hypothèse la moins pessimiste, il aurait fallu... quoi, qui?

Sébastien se tapait la tête contre les murs. A force de frapper, il en sortit une idée, qu'il apporta aussitôt à David.

« Un détective privé. »

David fit la grimace.

« Sale boulot, non?

— Si. Mais pas plus que celui d'avocat, dans certains cas. Ni d'homme politique. Tu es bien placé pour le savoir. »

David fit une autre grimace, cette fois pour approuver. Pourtant, il s'obstina :

« Pourquoi un type qui ne me connaît pas et qui va certainement me prendre pour un criminel, serait-il plus malin qu'un commissaire qui fait en fin de compte le même métier, mais officiellement ?

— Parce qu'on le paierait plus cher que l'État ne paie ses fonctionnaires. La liberté, ça n'a pas de prix, David. »

Le regard trop clair du prisonnier se noya dans un rai de soleil qui violait l'étroite cellule. Sébastien avait dû toucher juste, au seul point vraiment sensible et douloureux de son ami trop souvent persécuté. Mais quand David revint à lui, il secoua la tête en souriant :

« La liberté, ça ne s'achète pas comme ça, Sébastien. C'est sur toi que je compte. Sur toi seul. »

Sébastien baissa les yeux, la tête, écrasé par cette confiance absurde et calme.

Heureusement et très vite, il ne serait plus seul...

Juge et commissaire avaient de nouveau réfléchi, chacun de son côté, avant de se trouver finalement d'accord. Ce crime trop simple avait aussi des allures de machination bien agencée. Peut-être la vérité se cachait-elle derrière des apparences trompeuses.

Le juge d'instruction, également sensible aux objections de deux hommes aussi différents que l'avocat et le commissaire, décida donc de délivrer une commission rogatoire pour un complément d'enquête. Darbois suggéra aussitôt de confier cette tâche à un jeune collègue tout frais émoulu de l'École de Saint-Cyr au Mont-d'Or : Gilles Étaix. Piétinant à Dijon depuis trois mois sur des histoires de piétons écrasés et de gangsters à la gomme, il rêvait de faire ses preuves sur une affaire difficile. Et si cette affaire l'était ? Et s'il allait être l'homme de cette affaire ?

Le juge d'instruction le convoqua aussitôt pour lui remettre le dossier... que le nouveau venu lui arracha presque des mains. Il le parcourut et demanda, impatient :

« Mais... qu'est-ce qu'il me reste à faire ?

— Tout. Il faut reprendre l'enquête à zéro.

— Parce que vous ne trouvez pas le coupable assez coupable ?

— Si. Trop.

— Alors, il est innocent ? conclut un peu vite le jeune commissaire.

— A vous de juger... ou plutôt de prouver ! » dit le juge.

Étaix se rendit immédiatement chez Darbois, en passe d'hériter des minables affaires du tout-venant policier dans la région dijonnaise.

« C'est à vous que je dois cette première chance ! dit-il avec élan.

— Vous me remercierez après ! » grimaça Darbois.

En attendant, il le mit au courant : le dossier était assez explicite pour qu'il pût passer rapidement sur les faits. Mais il lui fit part des doutes dont aucune pièce ne pouvait rendre compte, tant ils lui étaient venus au mépris de toute logique.

La première personne à voir était bien entendu l'avocat, seul lien possible entre le nouveau policier et l'inculpé.

« J'y cours! » lança Étaix, déjà parti.

Darbois l'arrêta.

« Il n'y a pas le feu! tonna-t-il. Ne gâchez pas tout en allant trop vite, Étaix. Si j'ai un conseil à vous donner, entre flics, mon cher collègue, c'est de ne pas jouer les commissaires dans ce genre de patelin. La police dite « étrangère » y est certainement plus mal vue que, par exemple, le touriste, le flâneur que vous devriez vous appliquer à jouer.

— Tant qu'à porter un appareil photo en bandoulière et à renier ma vocation première, dit Gilles en riant, je préfère passer pour un metteur en scène nouvelle vague, venu repérer ses extérieurs et les têtes locales. Pour un film policier, bien sûr! »

Darbois laissa partir celui qu'il ne pouvait plus retenir, avec la mélancolie d'un ancien qui se rappelle le temps où il commençait une enquête comme on part à l'aventure, avec les dents longues et des bottes de sept lieues.

Et c'est ainsi que Sébastien Labbé, averti par le juge d'instruction, vit arriver le personnage providentiel : au premier coup d'œil, il douta. Était-ce bien un commissaire, cet homme trop jeune, avec ses cils trop blonds, ses cheveux trop longs, ses yeux trop bleus? Il avait toutes les apparences d'un playboy ou d'un séminariste de charme. Mais les apparences trompent. Policier, il pouvait l'être après tout, aussi vrai que David était...

« ... innocent!

— Vous êtes son avocat, et son ami! remarqua Gilles. Alors, vous plaidez sa cause. Moi, je recherche la vérité. Mais on a peut-être intérêt à s'entendre.

— On a toutes les raisons de s'entendre! assura Sébastien.

— Toutes?

— Au moins deux bonnes, deux excellentes raisons. Vous êtes sans doute la dernière chance de David, innocent. Mais son innocence est votre première chance, monsieur le commissaire. Si vous arrivez à la prouver, bien entendu...

— Ouais! admit Gilles. Alors, si vous voulez m'aider à l'aider...

— Je vous écoute! dit Sébastien.

— C'est moi qui vous écoute. Moi, je ne peux pas le voir. Un dossier, c'est froid... La « vox populi » à Saint-Ixe sera sans doute glaciale. Avait-il un seul ami là-bas?

— Non! admit Sébastien.

— Et... une amie? demanda Gilles.

— Non. Pas vraiment.

— Mais tout de même... une petite amie?

— Oh! une jeune fille... ils se voyaient, comme ça.

— Son nom?

— Lucile.

— Lucile comment?

— C'est sans importance... Serrat! » lâcha enfin Sébastien.

Gilles bondit, frémissant comme un lévrier flairant enfin une piste.

« Mais c'est formidable!

— Sauf si Lucile est maintenant l'ennemie du meurtrier présumé de son père.

— A voir! dit Gilles. A propos de présomption, est-ce que je pourrais passer pour un réalisateur de films en quête de couleur locale, un metteur en scène, quoi!

— En tout cas plus facilement que pour un flic! » reconnut Sébastien qui n'eut même pas le temps de lui demander la raison de cette question saugrenue. L'autre était déjà parti.

... A Saint-Ixe.

Gilles Étaix, en jean et col roulé, se découvrait une âme et des attitudes de chasseur d'images et de preneur de sons. Sur la petite route, au centre de la grand-place de Saint-Ixe, aux abords des chalets, on le voyait partout, Reflex et posemètre en main, improvisant un cadrage imaginaire, reculant, avançant, mesurant les distances au pas ou au jugé... Bref, très occupé.

« Touriste? lança un méfiant...

— Artiste! » rectifia-t-il.

Une curieuse s'approcha :

« Peintre?

— Réalisateur! »

René Barjou, à l'entrée de son café, lui proposa :

« Un petit blanc... Un demi?

— Pas de refus! » dit Gilles, qui regrettait sa

gabardine un peu trop classique et entra, histoire de se réchauffer et de faire connaissance.

« Décidément, dit fièrement le Parisien, la région a la cote. D'abord un crime, ensuite un film! « Saint-Ixe, connais pas! » va devenir « Saint-Ixe vous connaissez? »

— Le Saint-Trop jurassien! renchérit l'artiste présumé. J'avoue que sans cette affaire criminelle et les descriptions idylliques du coin par quelques reporters en mal de copie, jamais je n'aurais songé... Quelle histoire quand même! »

Gilles Étaix dut en improviser une, d'histoire, la sienne, celle qu'il était censée tourner bientôt sur place. Il se perdit dans une ténébreuse et sanglante énigme, avant de pouvoir questionner à son tour. Il n'apprit pas grand-chose. La culpabilité d'Éliade ne faisait de doute pour personne. On regrettait seulement que l'enquête, si courte, n'eût pas amené davantage de clients, ni ménagé un plus long suspense. A présent, il faudrait attendre le procès — sans doute des mois et des mois pour une simple formalité. Seule, la perspective d'une condamnation (à mort) rallumait encore quelque flamme dans les regards de tous ces braves gens.

« Et les Serrat?

— Dame! Des gens comme il faut! »

Gilles était là pour vérifier. Il s'arrangea pour tomber en panne sur la route qui menait du village à la maison des Serrat, et que leur luxueuse Mercedes empruntait quotidiennement. A plusieurs reprises, il déclina les offres de service de quelques automobilistes le voyant en peine, sur le bas-côté de la route. Par contre, il dut presque se jeter sous les roues de la Mercedes pour l'arrêter.

Sylvain Serrat — c'était bien lui —, engoncé dans son pardessus en cachemire beige, crêpe noir au revers, ne voulut pas salir ses blanches mains dans la réparation problématique d'un vieux moteur poussif. Il lui offrit seulement une place :

« Vous allez...

— Par-là ! fit Gilles en indiquant la direction empruntée par Sylvain.

— Dijon ?

— Dijon ! » approuva le commissaire, calculant mentalement qu'il aurait près de cinquante kilomètres, soit une bonne demi-heure, pour faire connaissance.

Mais Sylvain conduisait vite et bien, et il était silencieux. Alors...

« Gilles Étaix ! Réalisateur... Je fais le tour de la région, pour repérer des extérieurs. Le coin est beau. Un peu... a-a-atchoum ! Un peu froid, mais beau... Les gens aussi, un peu froids. Forcément, des paysans, avec les étrangers de Paris... Ils se méfient. Mais vous-même, vous êtes de la région, monsieur... Enfin, je vous remercie bien, vous me rendez un fier service en me dépannant, monsieur... euh...

— Serrat. Sylvain Serrat. »

Ouf ! Il l'avait lâché, son nom ! Gilles allait pouvoir foncer au lieu de patauger dans les considérations climatiques et autres lieux communs. Il prit encore le temps d'éternuer avant de s'exclamer :

« Serrat! Ce nom me dit quelque chose. Un fait divers récent... Vous ne seriez pas parent, par hasard, de...

— Lucien Serrat était mon frère. Mort. Assassiné, précisa Sylvain.

— Oh! Navré d'avoir réveillé de si tristes souvenirs.

— Oui. Surtout que c'est tout proche : moins de deux semaines. Ça s'est passé près d'ici. Dans le petit bois. Un ennemi... politique, jaloux, un sale type. Ma belle-sœur disait bien que...

— Oui?

— Rien. »

Il y eut un silence gêné. Gilles aimait mieux que Sylvain Serrat relançât lui-même la conversation. Plus le dialogue se fait monologue et moins il est dirigé, plus celui qui parle se livre, allant, souvent malgré lui, au-delà même des désirs de son interlocuteur. Surtout que le policier ne voulait pas faire preuve d'une curiosité trop manifeste et précise.

« Lucien... murmura Sylvain. Un type formidable.

— Vous aimiez beaucoup votre frère? fit Gilles, avec un ton de circonstance.

— Je l'admirais! »

La réaction était très spontanée et Gilles enregistra la nuance, ou le fossé, qui peut effectivement séparer l'amour de l'admiration. N'y avait-il pas un peu d'envie dans le sentiment très vif que le frère portait au frère? Certainement, sinon Sylvain n'aurait pas continué dans ce sens, en précisant :

« Forcément, c'est l'aîné. Il a toujours été le plus

grand, le plus fort, le plus chanceux, le plus intelligent. C'est normal.

— Mais maintenant qu'il n'est plus là...

— Ça ne change rien! dit Sylvain, l'air las.

— Ça change tout! » assura Gilles, encourageant. Cette mort, c'est peut-être la chance de votre vie... »

Sylvain jeta un tel regard à son interlocuteur, que celui-ci en fut presque effrayé. C'est fou, tout ce que les mots taisent, et que des yeux peuvent dire, hurler.

« Je ne vois pas... marmonna Sylvain qui avait de toute évidence très bien vu, l'instant d'avant.

— C'est bien votre frère qui avait négocié et obtenu l'installation de la fameuse usine dans la région? Et c'est bien cela qui lui garantissait ou presque la victoire aux prochaines élections? »

Sylvain acquiesça. Gilles poursuivit, optimiste : « Pourquoi ne pas prendre la relève? Serrat pour Serrat, Sylvain ou Lucien, les gens d'ici n'y verront que du feu.

— Croyez-vous? dit Sylvain, qui doutait franchement.

— Ou s'ils font la différence, renchérit Gilles, ce sera tout à votre avantage. C'est vous qui aurez repris le flambeau pour éviter que tout le travail de votre frère ne soit perdu pour la région. Je ne vois vraiment pas qui pourrait vous reprocher de... profiter — le mot n'est pas juste, mais je n'en trouve pas d'autre, excusez-moi — de la situation.

— Pourquoi me dites-vous ça? » demanda Sylvain.

Gilles avait-il été trop loin, trop vite? En tout cas,

Sylvain se méfiait, de lui-même peut-être, et à coup sûr de cet inconnu qui osait proférer des vérités si évidentes, mais pas si bonnes à publier!

Aussitôt, Gilles se composa un personnage propre à toucher son interlocuteur. Il était trop tard maintenant pour reculer. Il choisit — une fois de plus — de foncer. C'était dans son caractère — et de son âge. Et puis, Sylvain n'était pas tellement plus vieux que lui. Il comprendrait : entre jeunes, l'ambition est de rigueur, la franchise, payante, si elle est bien jouée :

« Regardez, moi, dit Gilles en secouant sa tignasse blonde et en riant de ses dents de jeune loup, je suis ici sur un gros coup, un film qui peut faire un malheur, qui risque de me lancer à trente ans. Tout ça, parce que j'ai sauté sur l'occasion... La place laissée libre par un vieux routier, je ne vous dirai pas son nom, il est trop connu... A quelques jours du tournage, il est tombé malade. La production m'a proposé sa succession parce que, dans le cinéma, le temps, c'est du dollar. J'ai accepté. Franchement, vous n'auriez pas fait comme moi? »

Sylvain hochait la tête. Ce n'était pas « oui ». Ce n'était plus « non ».

« Moi, reprit Gilles, je n'ai pas hésité une seconde. Je ne dis pas que j'aurais poussé le vieux sous un train pour avoir le champ libre... »

La Mercedes fit un léger écart : Sylvain reprit aussitôt le contrôle de ses nerfs et de sa voiture.

« Non! Quand même pas! fit Gilles, en éclatant

d'un rire franc et rassurant. Je ne suis pas un salaud. Mais pas non plus un idiot. Rien qu'un type qui veut réussir sa vie, sa carrière. Et profiter d'une occasion qui s'offre à moi... Pour vous aussi, l'occasion est belle, non ? »

Sylvain fronçait les sourcils : il avait l'air de se concentrer sur une idée... qui ne pouvait pas être aussi neuve que cela, pour lui ! En effet, quoi de plus légitime qu'un frère cadet prenne la place laissée libre par son aîné, lui succédant et continuant son œuvre ? Qui aurait pu qualifier cette pensée de mauvaise, dans la tête de Sylvain ? Quel reproche méritait-il ? Quel soupçon pouvait-il faire naître en optant pour cette solution fraternelle, intéressante pour lui, profitable pour tous et qui ne lèserait personne ?

Et pourtant, Sylvain avait l'air de découvrir l'Amérique et même la lune en imagination. D'en explorer les moindres recoins, d'en tâter le terrain avec d'infinies précautions, de trembler par avance à la moindre alerte et finalement de se réjouir des avantages indéniables de la situation nouvelle qui s'offrait à lui.

« Oui... murmura-t-il, en conclusion d'une longue rêverie éveillée dont Gilles aurait aimé saisir les méandres. Au fait, pourquoi pas ? »

Il eut encore un regard pour Gilles. Et puis il l'oublia, pour ne plus penser qu'à lui-même, heureux héritier de feu son frère.

Et Gilles, de son côté, ne put s'empêcher de penser que le crime, quel qu'en fût l'auteur, bénéficiait au moins à deux personnes, et que le bénéfice en était infiniment plus direct et concret pour le frère que pour l'étranger qui se morfondait pour l'heure en prison.

Sylvain avait dû trouver en Gilles un interlocuteur de choix, un type qui n'avait pas froid aux yeux, bourré d'idées, sans doute de talent et qui — qualité majeure — osait oser, savait ce qu'il voulait et se confiait spontanément. Il lui proposa de passer chez lui, « un de ces jours », sans deviner, bien sûr, à quel point il comblait les vœux de son invité, quel observateur redoutable il allait introduire en la place, ni avec quel empressement Gilles allait répondre à cette invitation.

Dès le lendemain... Gilles passa donc. Le soleil qui avait refusé de se lever, le brouillard qui tombait sur la région en larges nappes humides et cotonneuses, noyant de flou tous les « extérieurs » et interdisant donc tout repérage, tout cela mit au chômage technique le pseudo-réalisateur. Le policier put donc jouer les touristes inoccupés, se rendre à la villa des Serrat, dans l'espoir de retrouver Sylvain.

Il tomba sur les deux femmes — et il ne le regretta pas.

La mère et la fille étaient aussi différentes que possible. Il fallait donc faire leur conquête séparément. Gilles s'attaqua d'abord à la mère, le morceau le plus difficile.

Hélène Serrat accueillit l'intrus en intrus. Les amis de son beau-frère n'étaient pas ses amis, même si Sylvain lui avait parlé de sa rencontre de la veille. Elle semblait se moquer éperdument de l'art et des artistes, et Gilles ne pourrait donc pas jouer cette carte du métier de « prestige » qui éblouit souvent l'amateur. Elle ne fut pas davantage sensible à l'opinion affichée — très nettement surfaite — de Gilles sur Sylvain. Cette fois, le commissaire sentit qu'il en faisait trop. Il lui fallait reculer, s'engager sur une autre voie, s'il ne voulait pas passer, aux yeux de cette femme très fine, pour un type aveugle... ou trop clairvoyant.

Aussi aborda-t-il Hélène par son côté veuve, c'est-à-dire par le biais de feu Lucien Serrat. Là, Hélène était forcée de jouer le jeu. Car elle jouait, c'était évident. Ce qui l'était moins, c'était de quel jeu il s'agissait.

Elle tenait très dignement son rôle, avec tout juste ce qui sied d'affectation à une grande douleur qui veut se cacher. Mais dès que Gilles avait parlé de Lucien, Hélène s'était mis un masque sur le visage. Elle était très belle ainsi. Lucien n'avait pas dû s'ennuyer! Quant à Sylvain... il risquait fort de passer de l'ombre portée par le frère sous la coupe réglée de la belle-sœur. Il n'était pas de taille ni de tempérament à lui résister.

Sylvain revint d'une course au bout de très peu de temps. Il convia sans conviction Gilles à dîner. Gilles accepta sans hésitation polie. Une chose l'intéressait, qu'il ne pouvait étudier qu' « en famille » avec les Serrat. C'était les rapports mutuels entre les trois êtres, notamment ceux de Sylvain et d'Hélène, car Lucile faisait visiblement, sinon table, du moins cœur à part. Il se promit de s'occuper d'elle séparément, dès que possible, surtout qu'elle était très mignonne et que la tristesse lui allait à merveille.

Hélène et Sylvain donc... Ils avaient dû être très marqués par la personnalité du défunt. Ils en parlaient encore avec une sorte de crainte respectueuse, abusaient du conditionnel (« si Lucien était là, il ferait ceci, il dirait cela ») et laissaient de temps en temps échapper un indicatif présent (« Lucien est homme à... »). Autrement dit, même mort, Lucien était encore présent et puissant chez les Serrat.

Gilles nota également une forme de... complicité, ou du moins d'entente entre le frère et la femme, analogue à celle qui unit les très vieux couples lorsque l'amour est mort et que demeurent les habitudes. C'était d'ailleurs assez normal puisque, sans s'aimer véritablement, ces deux êtres vivaient ensemble depuis près de dix-huit ans!

Ayant fait ses observations, Gilles trouva le dîner un peu silencieux à son goût d'enquêteur. C'est pourquoi, faisant fi de tout à-propos, il lança, entre poire et fromage :

« J'en parlais hier avec votre beau-frère, madame Serrat... Je lui demandais comment l'idée ne lui était pas venue de poursuivre l'œuvre entreprise par son frère. »

Hélène Serrat jeta un coup d'œil surpris dans la direction de Sylvain qui eut un sourire embarrassé. Puis elle regarda Gilles, avec l'air de lui dire : « De quoi est-ce que je me mêle », et ne dit rien. De quoi, de qui se méfiait-elle?

« Après la mort de votre mari, cela me semble une

solution tout à fait logique, non? Il y a bien d'illustres précédents. Les Kennedy...

— Pour ce que cela leur a réussi, ironisa Hélène. Après John, les autres n'étaient pas de taille.

— Le style était différent. Mais... si Bob Kennedy n'avait pas été assassiné après son aîné, et si Ted n'avait pas eu la malchance d'être éclaboussé par un certain scandale...

— Si, si et si... dit Hélène vivement. Mais, mais, mais! »

Laconiquement, elle venait en effet de résumer toute la situation et la tragédie du clan. Elle convint cependant :

« Un jour peut-être, plus tard, Sylvain pourra... »

Hélène avait levé la tête : Gilles admirait son très pur profil, volontaire, coupant, et ses yeux gris qui fixaient l'avenir, imaginaient, rêvaient... Mais Hélène Serrat n'était pas femme à rêver. Elle revint au temps présent, aux réalités, à Sylvain à qui elle sourit, à Gilles enfin, à qui elle ne sourit pas :

« ... mais aujourd'hui, conclut-elle, il n'en est pas question! »

Gilles observa le tic qui tiraillait le coin de la bouche de Sylvain.

Après le repas, la famille se leva. On alla prendre le café au salon. Cigarettes, cigarettes, merci... On échangea les marques, entre fumeurs de bon voisinage. Soudain, Gilles aperçut trois pipes d'écume dans un bol de porcelaine rustique. Trois pipes incongrues dans le décor, qui avaient l'air à la fois étrangères et familières. Trois pipes qui n'allaient à la personnalité d'aucun des présents. Gilles pensa à Lucien, et demanda à Sylvain qui savourait une blonde opiacée :

« Vous êtes aussi amateur de pipe?

— C'est Lucien! » s'exclama Sylvain.

Une fraction de seconde, Gilles vit Lucien, ou plutôt le sentit présent d'une présence vivante, presque palpable. Il pensa à ces familles qui, longtemps après la disparition d'un de leurs membres, continuent de mettre son couvert devant sa chaise vide, sacrifiant à un culte quasi religieux. Mais ce n'était pas le genre de la famille, en tout cas pas celui d'Hélène. Et pourtant, la veuve elle-même avait senti son mari vivant... C'est elle qui réagit le plus vite contre cette étrange impression.

« Oui, dit-elle douloureusement, il en avait toute une collection. Il faudra les donner. Voyez-vous, monsieur Étaix, ce pauvre Lucien était... »

Suivit une oraison funèbre vantant, sur un ton lugubre, toutes les qualités de bon vivant du mort, qui arracha des larmes aux yeux de la veuve et de la fille de Lucien, tandis que Sylvain avait l'air ailleurs. Quant à Gilles, il n'écoutait plus le panégyrique de ce pauvre Lucien qui, que, dont, etc.

Il fixait les trois pipes. Et il ne pouvait s'empêcher de leur trouver de plus en plus l'air... surréaliste.

Le lendemain, Gilles s'arrangea pour partager enfin un bout de chemin et un brin de conversation avec Lucile : elle revenait chez elle, trop lourdement chargée par des achats... Il la débarrassa aimablement.

C'est elle qui lui demanda tout de suite :

« Pourquoi vous intéressez-vous à mon père, monsieur ?

— Je suis toujours fasciné par les fortes personnalités, dit Gilles en se donnant le ton de l'homme modeste et admiratif. Et comme les gens d'ici en parlent beaucoup encore...

— C'est vrai ? fit Lucile, émue.

— Bien sûr. Il était très aimé, mademoiselle...

— Lucile ! dit Lucile, mise en confiance. Il a été si bon pour moi quand maman est morte... Oui, précisa-t-elle doucement devant le geste de surprise de Gilles, je suis enfant naturelle. Mais mon père, qui adorait maman je crois, m'a reconnue et prise chez lui. Je ne ressemble pas du tout aux autres... je veux dire, à mon oncle et à maman. Je l'ai toujours appelée maman. Ça faisait plaisir à mon père. Alors...

— Et... David Éliade ? demanda Gilles.

— Ah ! vous savez... murmura Lucile, qui trébucha contre un pavé imaginaire et se rattrapa au bras du jeune commissaire, toute tremblante. Qui vous l'a dit ? »

Pas question de répondre : Sébastien Labbé, son avocat. Gilles eut un geste vague, que Lucile interpréta tout naturellement par...

« Les gens d'ici... Je ne savais pas qu'ils savaient. C'est terrible. »

Gilles tenta de la rassurer. Mais elle marchait à grands pas, lèvres serrées, fixant obstinément le bout de ses pieds.

« Qui est ce David ? dit-il.

— Vous n'avez pas lu les journaux ?

— Si. Mais qui est-il vraiment, Lucile ?

— Je le déteste. »

Elle dit cela avec un tel élan... que Gilles se rappela une très vieille histoire, le premier amour d'un adolescent trop fragile pour une femme plus forte, plus mûre que lui. Lui aussi l'avait tellement aimée qu'après la trahison, la rupture, il avait dit les mêmes mots, sur le même ton. A l'époque, il ne le savait pas encore, mais aujourd'hui, il pouvait traduire : « Je l'aime, mais je crève de ne plus pouvoir l'aimer, alors je fais comme si je le détestais. »

« Je le déteste ! » répéta la douce Lucile.

Et puis, elle n'y tint plus, fondit en larmes, renifla, chercha son mouchoir. Gilles lui donna le sien. Ils échangèrent un regard, et la jeune fille comprit que cet inconnu n'était pas un ennemi, bien au contraire. Elle s'amarra pour la deuxième fois à son bras et, ne pouvant plus se taire, elle passa aux aveux, avec un mélange de honte et de fierté qui la rendait presque agressive :

« Oui, c'est vrai, j'ai ressenti quelque chose pour lui. Vous comprenez, il était comme moi dans ma famille, un peu étranger, très seul. Si différent des autres hommes aussi... Enfin, je croyais. Mais après ce qu'il a fait...

— Parce que pour vous, il n'y a aucun doute. C'est lui qui a tué...

— Mais... il ne peut y avoir aucun doute ! » dit Lucile.

Était-ce une affirmation, ou une question? Gilles discerna... l'espoir d'une incertitude.

« Tout est contre lui, n'est-ce pas?

— Oui, reconnut Gilles. Tout et tout le monde. Même vous, Lucile...

— Oh! moi... je ne compte pas.

— Mais dites-moi, Lucile, s'il y avait seulement l'ombre d'un doute, est-ce que vous m'aideriez à faire... ce qui pourrait devenir un petit rayon de lumière? Est-ce que vous m'aideriez à l'aider, ce David qui...

— ... Jamais! » fit Lucile après une hésitation où il y avait place pour des sentiments très tumultueux et aussi contradictoires que son amour et sa haine, l'espoir, et enfin la certitude que rien ne servirait à rien.

Lucile s'arrêta, aux abords de chez elle. Elle fixa Gilles qui ne se déroba pas à son clair regard. Il la trouva... mieux que belle, très pure et surtout si vulnérable dans sa jeune sensibilité, déjà écorchée vive.

« Qui êtes-vous, monsieur Étaix? Un... ami de David?

— Non. Je ne connaissais pas son nom il y a quelques jours. Je ne l'ai d'ailleurs jamais vu.

— Alors... je ne comprends pas, murmura-t-elle. Vous êtes de la police?

— Encore moins! s'exclama Gilles avec un accent de sincérité qui dérouta un peu plus encore la jeune fille et le surprit lui-même. Je suis seulement... curieux, et je trouve cette affaire trop simple. David

Éliade n'a pas avoué. Il refuse tout système de défense. Il a même fallu le forcer à prendre un avocat. Il estimait qu'il n'en avait pas besoin, étant innocent. Raisonnement un peu simpliste, mais...

— David, dit sourdement Lucile, est un être très compliqué qui agit toujours comme un enfant.

— Dites-moi ?

— Oui... Quoi ? fit Lucile, s'apprêtant à reprendre son chemin et ses commissions qui embarrassaient toujours Gilles.

— Avant cette affaire, croyiez-vous David capable de... ?

— Non! dit Lucile franchement. Mais, ajouta-t-elle, depuis, je me dis que je me suis trompée, qu'il m'a bien trompée et que je ne suis qu'une petite idiote. »

Lucile avait les yeux trop brillants, et cela fardait son regard d'une espèce d'aura qui lui seyait à merveille. Sur qui avait-elle envie de pleurer encore ? Sur son père, sur David ou sur elle-même ?

« Excusez-moi, dit-elle, je suis pressée... Je dois rapporter ces courses à la maison, et puis j'ai rendez-vous... »

Gilles eut un geste de surprise. Lucile s'empressa de répondre à sa muette indiscrétion...

« Avec un très vieux monsieur qui se vante d'avoir cent ans, mais je crois que c'est une coquetterie. Le mage... Mais oui, le mage, vous savez, on en parle assez ici... On voit bien que vous n'êtes pas du pays !

— Qu'allez-vous faire chez un mage ? A votre

âge, s'étonna Gilles, on n'a pas besoin de ce genre de vieille barbe, non?

— Si! avoua Lucile. Il me parle de papa.

— D'autres l'ont mieux connu que lui...

— Oui, mais... dit Lucile, très gênée... Il me dit que... qu'il n'est pas mort! »

Gilles vit une seconde les trois pipes...! Décidément, ce détail l'avait impressionné.

« Et... vous le croyez! s'exclama-t-il.

— Ça m'aide... Et il m'a promis de me le faire voir. Lui, il dit qu'il le voit. Vivant. Vous vous rendez compte?

— Pas très bien, mais...

— Oui, vous devez penser que tout cela est bête et que je perds mon temps. Mais je suis comme ça, un peu folle... Au revoir!

— A bientôt, Lucile. »

Gilles pensa qu'il ne risquait rien à aller consulter cette personnalité mythique de la région. Il en avait entendu parler, à mots couverts, comme d'un être doué de pouvoirs surnaturels et maîtrisant tout aussi bien les forces du mal que celles du bien.

Il n'était pas homme à se laisser impressionner par le folklore de la voyance extra-lucide. La barbe vénérable lui donna plutôt envie de sourire, tant elle semblait un accessoire indispensable à l'exercice du métier. Et pour empêcher le vieillard de se réfugier derrière de vagues et brumeuses considérations, Gilles attaqua de front.

« D'après vous, Lucien Serrat n'est pas mort ?

— Je n'ai pas dit exactement cela, marmonna le mage.

— Donc, il est mort ?

— Pas vraiment !

— Tiens ! fit Gilles, qui se rabattit ironiquement sur la catégorie intermédiaire. Serait-il un mort-vivant ?

— Ne vous moquez pas, jeune homme ! dit le vieil homme, du haut de son siècle et de sa superbe. Moi, je vois Lucien Serrat comme je vous vois, vivant. Je peux entrer en relation avec lui, lui parler. Mais... il est cependant très loin. Je ne sais ce qui nous sépare : une grande distance peut-être, ou un événement indiscernable pour l'instant.

— Enfin, il n'est pas mort ?

— Non, je ne crois vraiment pas.

— Vous êtes le seul, murmura Gilles.

— Non ! Vous, vous commencez à douter. Sa fille aussi.

— A cause de vous ! dit Gilles.

— Oui, grâce à moi. Mais il y a d'autres personnes qui savent qu'il est bien vivant.

— Qui donc ?

— Tous ceux qui lui parlent et qui le voient à l'instant même. Et puis d'autres personnes encore.

— Qui ?

— Qui sait ? fit le vieillard, avouant son ignorance.

— David Éliade, peut-être ? » dit Gilles.

Le mage hocha la tête. Par Sébastien Labbé, Gilles savait que le mage détestait David. Par sa philosophie, cet homme le menaçait dans ses pouvoirs. Pire encore, il avait tenté de le ridiculiser, de le déconsidérer aux yeux des gens d'ici. Sans succès, d'ailleurs.

« Enfin, raisonna Gilles, si Lucien n'a pas été assassiné, Éliade n'est plus criminel.

— Hmm... fit le mage. C'est une autre affaire. Cela ne m'intéresse pas!

— Dommage! murmura Gilles.

— C'est votre affaire à vous! Puisque vous êtes ici pour espionner... »

Gilles, accusé, esquissa un geste de surprise et de défense :

« Je suis venu dans la région tout à fait par hasard. Je suis réalisateur de cinéma. »

Le regard du vieil homme lui passait littéralement au travers du corps et enlevait tout poids à son personnage, tout aplomb à son mensonge. Le mage en profita pour prendre sa revanche sur le jeune homme:

« Pour espionner pour le compte de David, précisa-t-il.

— C'est faux! Je... je cherche seulement la vérité. Par... passion. »

Gilles sentit à quel point sa réponse, pourtant sincère, semblait ridicule et peu croyable.

« Par passion... d'artiste? Désintéressée? ironisa le vieux. Jolie vocation, jeune homme. Je vous souhaite bien du plaisir, alors. »

Le regard s'adoucit soudain, sous les paupières fatiguées. Une main se tendit vers Gilles, blanche, décharnée. C'était pour faire la paix. Match nul.

« Je ne dirai pas tout ce que je sais de vous...

— Mais... fit Gilles.

— Je ne dis jamais tout ce que je sais. A personne. »

La barbe tremblait, mais Gilles n'avait plus du tout envie d'en rire. Décidément, il était temps de filer : pour ne pas tomber dans le piège du mage... ni sur Lucile, qui n'allait plus tarder.

Gilles s'arracha à l'envoûtement, fit demi-tour, ouvrit une porte et se rejeta en arrière, terrifié : un gorille... naturalisé. La plaisanterie était d'un goût douteux. Le vieux éclata de rire.

« Vous voulez toujours aller trop vite, jeune homme. C'est ça, la vérité. »

Gilles quitta le mage. Il savait qu'il se ferait difficilement un allié de cet homme, qu'il ne pourrait jamais vraiment compter sur lui. Pourtant, il ne regrettait nullement cette visite : le vieux était sans doute moins fort qu'il voulait le faire croire, mais aussi plus fin que le jeune homme ne le croyait au début. Et puis, surtout, il l'aidait à croire Serrat vivant et à partir de cette hypothèse tellement précieuse pour innocenter David. Clairvoyance, intime conviction... C'était affaire de mage. Les preuves à chercher, c'était affaire de policier. Là encore, le mage avait raison.

La petite mécanique se remit en marche dans la tête un instant troublée de Gilles. Si... si donc le corps calciné trouvé dans le bois de Saint-Ixe n'était pas le corps de Lucien Serrat, si la victime présu-

mée n'était plus victime, le coupable serait innocent.
Hmm ! Tout restait à prouver. Tout restait à faire.
Gilles se sentit soudain très seul. Écrasé par le sentiment de sa responsabilité. Un homme à sauver, la vérité à chercher, des faits nouveaux à trouver...

V

FAITS NOUVEAUX

Gilles quitta la demeure du mage juste à temps pour n'être pas aperçu de Lucile, qui venait à son rendez-vous. Une Lucile tout à l'heure si calme, et maintenant si excitée... que Gilles se demanda bien pourquoi et se dissimula le long du mur extérieur. Heureusement, Lucile parlait un ton plus haut que d'habitude. Il dut quand même tendre l'oreille, qu'il avait pourtant très exercée à ce genre d'indiscrétion.

La jeune fille, l'esprit certainement échauffé par les voix et voyances du mage, s'était elle-même payée sa séance de télépathie!... En réalité, après avoir fait ses courses, elle était rentrée chez elle sans être entendue. Elle avait alors surpris la voix d'Hélène Serrat parlant au téléphone. A qui, elle ne savait pas, et les bribes de phrases qui lui parvenaient ne l'avaient guère renseignée. Plutôt... intriguée. Surtout que la femme s'exprimait vite et bas, sur un ton étrange.

Lucile n'avait pas hésité longtemps : elle avait décroché à un autre poste de la maison. Pour enten-

dre les derniers mots du correspondant inconnu :
« ... Fais comme je t'ai dit. A bientôt, Léna. »
Puis l'homme avait raccroché. Hélène avait fait de même et Lucile aussi, un dixième de seconde trop tard. Car Mme Serrat avait paru très mécontente que Lucile fût déjà rentrée. Lucile avait demandé :
« Qui était-ce ?
— Ça ne te regarde pas, ma petit fille... Un ami de Lucien, avait finalement répondu la mère.
— Il t'appelle Léna, comme papa...
— Il avait si souvent entendu ton père me désigner sous ce diminutif... »
La réponse n'avait pas convaincu la jeune fille. Le mage lui demanda si elle croyait avoir reconnu la voix de son père.
« Oh ! non ! Hélas ! répondit-elle. J'aurais tellement besoin d'un signe, d'une preuve que vous ne me racontez pas des histoires pour me faire plaisir » dit-elle encore au vieil homme.

Gilles s'éloigna. Le trouble de la jeune fille, autant que la certitude — si irrationnelle fût-elle — du mage, étaient pour lui l'équivalent d'un signe. Force en tout cas lui était de s'en contenter pour l'instant, à l'heure où il décidait d'engager son enquête sur une nouvelle voie.
Tout en allant retrouver Sébastien Labbé à l'hôtel de Dijon où les deux hommes s'étaient donné rendez-vous, Gilles, au volant, réfléchissait : le téléphone peut très bien déformer une voix au point de la ren-

dre méconnaissable. Et puis, il ne pouvait s'empêcher de repenser à ces trois satanées pipes...

Étaix expliqua donc ses doutes à l'avocat. Peut-être Lucien Serrat n'était-il pas mort.

« Mais il y a eu un crime! s'exclama Labbé. Puisqu'il y avait un corps!

— Si ce n'est pas le corps de Serrat, alors Éliade, son ennemi déclaré, n'est plus le meurtrier tout trouvé. Et puis, il y a heureusement plus de cadavres que de crimes, dans la vie!...

— Oui, quoique des cadavres ainsi carbonisés...

— C'était peut-être une mise en scène, ou un moyen de rendre le corps non identifiable... ou plutôt une façon de fausser l'identification... Celle-ci tient à peu de chose en effet. Une alliance à demi brûlée, que le feu a épargnée par on ne sait quel miracle, et qui a tout aussi bien pu être glissée après à la phalange du mort.

— Quelle horreur! Quelle imagination! murmura Sébastien.

— Oh! j'ai vu tellement mieux! dit Gilles Étaix en s'attribuant une expérience qu'il n'avait peut-être pas. Cela étant, poursuivit-il, je regrette de ne pouvoir entrer directement en contact avec votre ami, puisqu'il est prévenu. Mais vous, en tant qu'avocat, vous êtes le seul à pouvoir le voir, l'interroger. Je compte donc sur vous. Qu'il fasse un effort pour se rappeler... Si Lucien Serrat n'était pas mort, où pourrait-il être actuellement? Entre l'enfer et le paradis, en quel coin de terre? Pour encourager David, dites-lui qu'une série de présomptions tendent à me faire croire que le mort est vivant. Moi, de mon côté, je vais tâcher de trouver à qui pourrait bien être ce corps. »

Le lendemain, Sébastien Labbé se retrouvait auprès de David Éliade. David, accablé par la fatalité, semblait déjà résigné à son rôle de bouc émissaire et d'éternelle victime de la société. Sébastien le secoua vivement et le conjura d'aider Gilles Étaix, cet allié imprévu qui se démenait à présent pour le sortir du trou.

« Réfléchis un peu! Depuis un an, tu observais ton adversaire. Il te trouvait même plutôt gênant, m'avais-tu dit...

— Oui, avoua David. J'avais fait un assez joli travail dans le côté sale boulot. Tiens, par exemple. Je savais qu'il recevait des pots de vin de la société qui devait financer l'installation de l'usine dans le pays. D'où de fréquents voyages en Suisse. C'était la porte à côté. Je crois qu'en même temps, il se livrait plus ou moins à un trafic de devises. Il avait également été inquiété jadis pour une affaire de fraude fiscale. Il continuait, mais plus habilement... Un joli monsieur, quoi.

— Le siège de la société, dans quelle ville?

— Bâle. Mais j'avais constitué un petit dossier sur la question. Si tu crois que cela peut intéresser ton commissaire...

— Naturellement, David. Où est-il?

— En lieu sûr... Un coffre, chez un ami. Sûr aussi.

— Bravo! Il faut le récupérer immédiatement.
— Oui, mais... l'ami est loin.
— En voyage?
— Au Chili.
— Hmm... Pour quoi faire, mon Dieu?
— La révolution.
— Alors, adios amigo. Je ne lui souhaite pas « bonne chance », ça nous porterait malheur. Pour une fois que tu prenais des précautions dans ta vie, David... Ça te ressemble si peu!
— C'est justement Serrat qui m'y a forcé. Un jour, je suis rentré chez moi, tout avait été fouillé. Et remis en place. Mais trop bien! Je n'ai pas reconnu mon désordre. Il cherchait quelque chose.
— Mais dis-moi, as-tu au moins la preuve de cette visite intempestive?
— Non.
— Tu n'as pas porté plainte?
— Non. Pourquoi?
— Parce que c'est l'habitude, figure-toi! Et que cela pourrait nous servir aujourd'hui. Un type capable de faire une descente chez un adversaire qu'il craint peut tout aussi bien se rendre coupable d'autres faits plus graves encore.
— Oui. J'ai déjà rêvé que Serrat se faisait brûler juste pour m'em...
— Et si le corps n'était pas celui de Serrat? Enfin, Étaix s'en occupe. Donc, d'après toi, Lucien vivant pourrait être en Suisse.
— Oui. Il préparait même un voyage là-bas. Bien plus, j'avais décidé de le suivre. D'être le plus gênant

possible. Je le lui avais dit. Il avait ricané. Mais la perspective ne lui plaisait pas, je t'assure.

— Je comprends! dit Sébastien. Autrement dit, te faire mettre en prison, c'était une façon de te neutraliser.

— Oui. C'était même tout à fait dans les manières d'un Serrat. Quoique... le jeu fût quand même dangereux pour lui. Forcément, s'il devait réapparaître, il faudrait qu'il explique... »

David redevint songeur et silencieux. Il se sentait victime d'une gigantesque machination, lui le grain de sable dans la « machine à Serrat ». Lui l'homme à broyer, à briser, sinon à abattre.

Sébastien quitta son client et ami de nouveau vaincu et las. Heureusement que lui et le commissaire avaient de l'énergie et de la combativité comme quatre.

De son côté, en effet, Gilles Étaix s'activait et allait de découverte en découverte. S'il voulait établir que le corps n'était pas celui de Serrat, encore fallait-il lui trouver un propriétaire. Un corps, ce n'est quand même pas une denrée qui se trouve sous le pas d'un cheval, ni même si communément que cela au coin d'un bois! Ça ne se perd pas non plus par l'opération du Saint-Esprit. Ça fait du bruit (sauf dans certain milieu où tous les trafics illicites sont monnaie courante).

Gilles Étaix se fit donc un fastidieux mais fructueux devoir d'éplucher la presse des trois dernières semaines. Presse locale où la colonne des faits divers se gonflait de tous les détails sur le crime du bois de

Saint-Ixe. Rien de suspect la veille, l'avant-veille ni même les jours précédents. Pas de disparition étrange. Gilles était déçu. A quoi bon remonter plus avant? Cela supposait un corps à conserver dans le formol ou le réfrigérateur, toutes choses difficiles...

Par contre, il tiqua sur un entrefilet du vendredi 28 septembre. C'était bien tard pour signaler la disparition d'un corps susceptible d'avoir été détourné à des fins de mise en scène criminelle une semaine plus tôt. Mais enfin...

Il s'agissait d'un petit scandale à l'hôpital de Dole : un certain Philippe Pénot était mort des suites d'une longue maladie. Le décès remontait au mercredi 19 septembre. On avait averti sa famille, laquelle consistait uniquement en une épouse qui achevait un safari en Afrique. Le temps qu'on alerte la femme, qu'elle trouve un avion pour la rapatrier, et il s'était passé plus d'une semaine, pendant laquelle le corps avait été conservé dans le froid. Au moment de le présenter à la veuve... plus de corps. Et cette femme, qui, apparemment, ne semblait pas tenir outre mesure à son mari vivant et malade, s'était montrée ulcérée à l'idée que son mari mort était perdu.

Le lendemain samedi 29 septembre, la presse faisait chorus avec la veuve. L'éditorialiste de service donnait libre cours à son humour noir et montait en épingle ce fait divers, caractéristique de notre époque où l'on n'a plus de respect pour rien, et de notre pays où règne la grande pagaille. Il ajoutait que le corps n'était d'ailleurs pas perdu pour tout le monde et n'osait imaginer — tout en les passant sadiquement en revue — toutes les expériences auxquelles l'infortuné Philippe Pénot devait servir, au mépris du droit des veuves à disposer du corps de leur époux.

Le journaliste n'arracha pas de larmes à Gilles Étaix. Au contraire, il le réjouit fort. Cette sombre histoire était à tirer au clair, surtout que les journaux de la semaine suivante étaient muets sur la question.

Pour son information personnelle et la satisfaction de sa toujours professionnelle curiosité, Gilles alla à l'hôpital. Rien à tirer du côté des hautes autorités administratives, qui n'avaient aucun intérêt à ce que l'affaire fût mieux connue.

Gilles s'adressa donc au petit personnel : quelques enveloppes glissées entre de bonnes mains... et les langues se délièrent. Surtout que l'histoire avait fait pas mal de bruit. Le seul coupable possible, l'infirmier qui s'occupait de la conservation des corps, avait même été renvoyé il y a quelques jours, le scandale une fois étouffé. Il avait nié. Mais Gilles aurait peut-être intérêt à l'interroger à son tour. On le mit en garde : c'était un drôle de type, secret, quasiment muet. Mais on l'appréciait dans le service, parce qu'il ne rechignait pas sur la besogne. Question métier, son remplaçant, un petit jeune, ne lui arrivait pas à la cheville.

Gilles Étaix alla donc jusque chez l'infirmier congédié : René Bellard. Il le prit exactement et aussitôt pour ce qu'il était, à savoir une brute épaisse, bornée, qui ne voulait rien entendre et rien dire. Apparemment même, incorruptible.

« Le corps... quel corps? grogna-t-il enfin, en repoussant l'argent avec méfiance.

— Le corps de Philippe Pénot. C'est bien vous qui en étiez chargé?

— Voui.

— Vous seul aviez la clé de la chambre froide?

— Pas de clé. On entrait et on sortait comme dans un moulin. Alors...

— Donc, ce n'est pas vous qui avez...

— Bof! »

Ça voulait dire « évidemment non, qu'est-ce que j'aurais pu faire d'un cadavre? »

« Un corps, insinua Gilles, ça peut toujours servir...

— Vois pas, fit l'homme qui clignait des yeux comme un myope.

— On peut le maquiller, le rendre méconnaissable, précisa Gilles, par exemple en le brûlant.

— Pour quoi faire?

— Pour faire accuser un faux coupable d'un faux crime, par exemple. »

Les insinuations de Gilles n'allumèrent aucune lueur de peur ni d'intelligence dans le regard bovin. Et le commissaire conclut pour la millième fois de sa jeune existence qu'il vaut toujours mieux avoir à faire à des méchants qu'à des idiots. Même le diable est moins difficile à interroger et à manœuvrer qu'un soliveau de cet acabit.

Gilles s'apprêtait à se retirer quand il regarda de nouveau le type. Il était taillé en Hercule, tout en muscles, avec des mains de boucher. Heureusement qu'une intelligence mauvaise ne lui avait pas été donnée en même temps que ces formes athlétiques. Sinon, quel homme redoutable!

« Maintenant que vous ne travaillez plus à l'hôpital, qu'est-ce que vous faites? demanda Gilles.

— Bof! fit l'homme.

— Vous avez de la famille?

— Non.

— Des petites économies au moins?

— Non! »

L'homme s'était levé : son regard vivait pour la première fois, indigné, comme si le fait d'avoir quelque argent de côté constituait la pire des indignités.

« Tenez! »

Gilles lui glissa quelques billets.

« Non! » dit-il en prenant l'argent.

Gilles quitta le curieux bonhomme. Il le croyait incapable d'avoir manigancé quoi que ce fût! Mais très capable d'avoir été lui-même manœuvré, payé. Les René Bellard, c'est de la mauvaise graine dont on fait les bons complices.

Gilles et Sébastien se retrouvèrent, pas mécontents de leurs propres informations, et très heureux de prendre connaissance de celles de l'autre.

« Ainsi, conclut Sébastien, ce corps qui a disparu assez mystérieusement pourrait très bien être celui qui a été trouvé brûlé et méconnaissable dans le bois.

— J'imagine... sans grande imagination... que oui, dit Gilles. Pour le prouver, il ne reste plus qu'à retrouver Lucien Serrat. Ce qui m'étonne, c'est qu'il ne soit pas plus loin qu'en Suisse... et pour affaires, tout bêtement.

— Je ne comprends pas ce que vous voulez dire, avoua Sébastien.

— Mais si ! dit Gilles. Qu'il se fasse passer pour mort, c'est utile et logique s'il s'agit d'un aller sans retour, d'un voyage à l'autre bout du monde, sinon dans l'autre monde. C'est le coup classique de ceux qui veulent disparaître pour toujours, ne plus jamais être inquiétés, des criminels par exemple, ou d'escrocs voulant toucher une grosse assurance sur la vie. Les compagnies connaissent bien ce genre de clients, mauvais payeurs, mauvais plaisants... Mais Serrat ! Où est son intérêt ?

— Faire son voyage tranquillement en Suisse, sans un David Éliade sur le dos. Et puis revenir comme si de rien n'était.

— Éliade sortira de prison alors !

— Oui. Mais définitivement déconsidéré aux yeux des gens d'ici. Pas de fumée sans feu, comme on dit. On l'a soupçonné, on a fouillé dans son passé, on a saisi toutes les occasions pour le salir. Tout ce qu'il pourra désormais dire et faire ne sera plus d'aucun poids auprès des gens d'ici.

— A moins que la démonstration ne se retourne contre Lucien, objecta Gilles. A sa place, je me méfierais de moi-même comme de la peste !

— A sa place ! s'exclama Sébastien. Donc, pour vous, il est vivant ?

— Plus j'y pense, et plus je crois que cette hypothèse est la meilleure : pour Éliade, bien sûr... mais aussi d'un point de vue logique. En tout cas, je vais m'attacher à la vérifier. En Suisse...

— Et chez les Serrat, à domicile? Vous croyez qu'il n'y a rien à glaner. »

Gilles réfléchit un instant. Lucile? Elle était certaine de la mort de son père et ne se raccrochait aux divagations du mage que pour ne pas céder à une peine trop violente, infiniment sincère. Sylvain? Son cas était douteux. S'il savait Lucien vivant, cela expliquait qu'il n'ait pas sauté sur l'occasion d'une absence qui n'était que provisoire. Lucien revenant, à quoi bon bâtir des châteaux en Espagne sous forme d'usine à Saint-Ixe? Non, il lui fallait continuer à jouer le rôle ingrat du frère cadet.

Quant à Hélène! Gilles cernait moins bien le personnage. Mais s'il y avait une personne au courant de la vérité, c'était elle. Une maîtresse femme, très maîtresse aussi de la situation, et dont la dignité et les silences dissimulaient certainement quelque chose.

Et puis enfin, il y avait, très accessoirement, mais très évidemment...

« Les trois pipes! murmura Gilles, comme en conclusion.

— Pardon? dit Sébastien, qui croyait avoir mal compris.

— Les trois pipes! répéta Gilles en souriant. Je sais ce que je dis, ce que je fais, ce que je vais faire. Un petit tour en Suisse avec un détour par le bureau du juge d'instruction!

— Et moi, dit Sébastien, qu'est-ce que je dois faire et dire à David?

— Rien! Attendez de mes nouvelles sans bouger. Faites-moi confiance. Et dites-lui d'espérer en son étoile. Je sens que nous sommes sur une bonne piste. »

A Bâle, pas de trace de Lucien Serrat. Gilles entendit cependant parler d'un certain Lucien Larue qui, aux dires de témoins sous le nez desquels il exhiba la photo de son homme, lui ressemblait comme un frère. Un frère bel et bien vivant, mais soucieux de se montrer le moins possible. Car ce nom et cette personnalité d'emprunt devaient servir à Lucien dans des affaires peu avouables. Il avait ainsi, là-bas, plus d'ennemis qu'à Saint-Ixe, notamment des complices avec lesquels il s'était montré rien moins que régulier, et qui ne pouvaient parler à moins de se trahir. Mais certains sous-entendus valent leur pesant de renseignements : pots de vin, trafic de devises, fraude fiscale, telles devaient être les activités suisses de ce citoyen français!

Larue, alias Serrat, Lucien pour les amis et ennemis intimes, avait quitté Bâle depuis plusieurs jours : à la suite de difficultés imprévues dans les négociations concernant « son » usine atomique, il s'était rendu à Genève, où Gilles retrouva sa piste qui le mena ensuite à Zurich. Peut-être y était-il encore? Mais dans quelle planque? Aucun hôtel digne de lui ne semblait avoir récemment abrité de Lucien, pas plus Larue que Serrat. Peut-être se dissimulait-il sous un troisième nom?

Peut-être aussi était-il rentré à Saint-Ixe et Gilles

perdait-il son temps à ce petit jeu de cache-cache...

Non. Pas de revenant à Saint-Ixe!

Et à Dijon, un Gilles revenu tout feu tout flamme, mais qui semble débiter un roman astucieusement échafaudé, un Darbois qui ironise sur la succession des hypothèses séduisantes, mais nullement vérifiées, de son jeune collègue, un Sébastien Labbé navré de cette attente qui s'éternise alors que David se morfond en prison, enfin, un juge d'instruction qui suggère au commissaire Étaix :

« Pourquoi n'iriez-vous pas faire un tour au service des enquêtes fiscales du ministère des Finances ? »

Sur place, rue de Rivoli, Lucien Serrat... inconnu. Mais Lucien Larue avait les honneurs d'un début de dossier : en quelques mois de patientes investigations, ces messieurs des Finances avaient réuni quelques pièces. A l'origine de tout, le nom de Larue qui figurait plusieurs fois sur le carnet de rendez-vous d'un inspecteur des contributions récemment inculpé pour fraude fiscale. Des documents saisis lors d'une perquisition à son domicile prouvaient que Lucien Larue avait un compte bancaire à Zurich — fait non condamnable en soi, mais souvent moyen de dissimuler au fisc français les bénéfices de fructueuses opérations financières. Par ailleurs, le nom de Larue apparaissait sur une liste de personnes fortement soupçonnées d'avoir récemment spéculé, pour une très forte somme, sur l'avant-dernière réévaluation du mark.

Bref, une longue enquête qui ne faisait que débuter.

« Et pas moyen de coincer le bonhomme avec toutes ces histoires de fraude? » conclut Gilles, qui s'intéressait à l'affaire.

Ces messieurs des Finances durent penser que ces messieurs de la police judiciaire avaient des vues excessivement simplistes sur des réalités excessivement compliquées.

« Nous en avons encore pour au moins deux ans, compte tenu de la discrétion des milieux bancaires et financiers suisses — laquelle n'est pas que légende — et du fait que ce Larue n'est pour nous qu'une...

— ... entité frauduleuse! dit l'adjoint venu au secours de son inspecteur.

— Nous n'avons pas encore trouvé sa trace en France, ailleurs que sur des papiers! reprit l'inspecteur.

— Là, j'ai une longueur d'avance! s'exclama Gilles, pas fâché.

— C'est-à-dire?

— ... que je peux vous filer un tuyau. Larue, c'est Serrat. Et Serrat, c'est Saint-Ixe, Jura. Si ça peut vous faire gagner un an...

— Mais... il est mort! murmura l'inspecteur.

— Les journaux... fit l'adjoint.

— Vous lisez trop les faits divers! » dit Gilles.

Il sortit dignement du bureau, mais dévala les sombres escaliers de bois quatre à quatre, laissant ses deux interlocuteurs stupéfaits.

« On les choisit un peu jeunes à la PJ », remarqua l'inspecteur.

L'adjoint aux cheveux gris resta sans voix.

Devant Sébastien Labbé, Gilles Étaix se sentit moins à l'aise.

« Il ne reste plus qu'à attendre le retour de notre homme.

— Attendre! soupira l'avocat.

— C'est une question de jours, d'heures peut-être, plaida le jeune commissaire qui supportait tout, dans la vie et dans son métier, tout sauf l'attente passive.

— Mais si on ne peut rien faire contre Serrat, dit Labbé, du moins peut-on faire quelque chose pour David. Je vais demander au juge d'instruction la liberté provisoire.

— Je doute qu'il vous l'accorde, mais tentez vos chances! Quant à moi...

— Oui?

— Dites à David... Non, rien, simplement... j'aimerais bien lui serrer la main. »

Le lendemain, dans le bureau de Darbois, Étaix apprit que le juge avait refusé la mise en liberté provisoire et que lui-même était chargé d'une nouvelle affaire : une autre V. I. P. régionale, gros banquier de Dijon, à suivre et protéger en raison d'une série de lettres anonymes le menaçant de mort.

« Ça va être drôle! fit Gilles, sinistre.

— Mais ne vous croyez pas dessaisi de l'affaire Éliade, dit Darbois. En tout cas, si votre hypothèse est juste, il n'y a plus qu'à attendre le retour de Serrat. »

VI

LA REVANCHE DES FAIBLES

Attendre.

Trois semaines depuis ce vendredi.

Lucien tarde, il est vrai. Mais demain...

Hélène et Sylvain se regardent, puis ont le même regard pour la place vide, à table. Ils n'ont pas très faim. Ils se sentent brusquement las, vidés, pessimistes. Ils n'ont pas les mêmes raisons de découragement qu'un David, un Gilles ou un Sébastien. Leur raison est même inverse. Lucien, ils ne le savent que trop, va revenir demain.

Lucile non plus n'a pas faim. Elle aussi regarde la place du mort. Sans savoir, elle, qu'il est vivant. Sans espoir. Sans désespoir. Sans rien. Le regard vide, ailleurs. Elle se lève de table, elle s'excuse : « Pardon, mais... »

Elle a un pauvre petit sourire. Sa belle-mère et son oncle ne font pas un geste pour la retenir. Ils sont même plutôt contents d'être seuls. Plus libres, surtout que la petite n'est pas fille à écouter aux portes. Hélène s'en assure et revient à sa place.

« C'est pour demain soir, dit-elle.

— Demain soir, reprend Sylvain en écho, lugubre.

— Il revient et... tout recommence », murmure la femme.

Sylvain sourit, résigné. Il ne dit rien. Il regarde Hélène et ne sourit plus. C'est comme s'il avait deviné, avant qu'elle laisse tomber :

« Et s'il ne revenait pas ?

— Qu'est-ce que tu veux dire, Hélène ?

— Qu'un accident est si vite arrivé. Statistiquement, il y aura une bonne centaine de morts au week-end prochain. Un de plus, un de moins... on n'y verrait que du feu.

— Hmm ! fait Sylvain qui n'apprécie pas la plaisanterie.

— Surtout que... insiste Hélène, surtout qu'il est... déjà mort.

— Pas pour tout le monde, souffle Sylvain.

— Si. Lucien Serrat est mort pour tout le monde.

— Mais l'autre Lucien...

— Évidemment... l'autre, Larue, il va falloir s'en occuper.

— Tu plaisantes ? dit Sylvain sans ironiser.

— J'en ai l'air ? Il y a des petits jeux qu'il ne faut pas jouer pour rire. Surtout que la plaisanterie dure plus que prévu !

— Il a eu des ennuis !

— Ça, c'était à prévoir. Lui aussi joue avec le feu... Et des ennuis, il va en avoir d'autres au retour. Faire le mort pendant quatre jours et plaider qu'on n'a pas eu le temps de lire les journaux, passe encore !

Mais au bout de trois semaines... Il faut trouver une autre excuse.

— Il trouvera! dit Sylvain, confiant dans les capacités de son aîné.

— Et puis je l'avais assez dit à Lucien! renchérit Hélène. Même si c'était pour avoir la paix pendant son voyage et déconsidérer son adversaire, Lucien risquait gros en faisant accuser Éliade. Tôt ou tard, le type s'en tirerait. Même blessé. Même marqué. Ça peut faire mal, un homme qu'on a désespéré, acculé.

— C'est vrai! dit Sylvain. Tandis que si on... s'occupe de Larue, on fait d'une pierre deux coups : Lucien reste mort, et David en prison. Quand même, c'est risqué, non?

— Si! admit Hélène. Mais il faut savoir ce qu'on veut. »

Ce qu'on veut...

Hélène et Sylvain ne savaient plus très bien — ou plus exactement, pas encore. Jusqu'à cette minute, la volonté de Lucien s'était imposée à eux. Même absent, Lucien leur dictait ce qu'ils avaient à dire ou ne pas dire, à faire ou ne pas faire. C'était reposant dans un sens, mais aussi irritant.

Quant à Lucien présent, en chair et en os, c'était le despotisme fait époux et frère. C'était la vie à l'heure du maître, jusque dans les plus petits, les plus irritants détails, jusque dans la composition des menus, la planification des loisirs, la chaîne de télévision à regarder... Mais c'était bien évidemment à propos des questions importantes que la loi du seigneur se faisait la plus intransigeante.

Et Sylvain et Hélène suivaient, dociles, comme frère cadet ou épouse dévouée. Il n'était même pas question de poser une question, d'émettre un doute, moins encore de se rebeller, contre cet être supérieur en caractère, en intelligence, en tout et pour tout.

Mais quand le maître est absent, et quand l'absence se fait si longue, il vient aux esclaves de la veille, aux faibles de toujours, comme un goût de liberté nouveau, étrange, mal reconnaissable au début, presque gênant, puis de plus en plus agréable, excitant. Oui, depuis quelques jours, Sylvain et Hélène jouissaient d'être seuls, d'être deux — car Lucile ne comptait guère. Et puis, il avait fallu qu'un passant de hasard — mais n'était-ce pas plutôt un envoyé du destin? — parlât à Sylvain d'une idée... énorme, impossible, extravagante à première vue, mais finalement bien séduisante : Sylvain succédant à Lucien...

L'idée, repoussée bien haut et bien vite, avait fait son petit bonhomme de chemin, toute seule, comme une grande idée, l'idée d'une vie à recommencer, avec un tournant à prendre. Sylvain rêvait éveillé, se voyait déjà... Hélène, plus froide, plus réaliste, ne rêvait pas. Elle échafaudait des hypothèses, elle élaborait des projets, elle se sentait ambitieuse pour deux, c'est-à-dire pour elle (d'abord) et pour Sylvain. Sylvain ne venait qu'après — parce que, pour une fois, l'idée de passer avant séduisait fort cette femme lasse de jouer toujours les seconds rôles. Et puis, Sylvain n'était pas vraiment de taille : elle l'avait dit très spontanément devant Gilles

Étaix. Comme elle le pensait. Puis elle y avait repensé. Il n'était pas de la taille de Lucien. Il n'était pas de taille seul. Mais avec elle? Oui, à eux deux, ils formeraient un bon couple, efficace. Hélène serait là pour le soutenir dans l'ombre, éminence grise lui imposant ses vues sans en avoir l'air. Elle ne tenait pas à briller outre mesure. Avec Lucien, elle avait assez fait de figuration. Elle voulait désormais agir. Faire agir l'autre, un Sylvain si avide d'une place au soleil de la vie, si las d'être trop évidemment le second. Lui, au contraire d'Hélène, ne demandait qu'à paraître.

Conclusion : ils étaient nés pour s'entendre, sans un Lucien pour les gêner. Ils étaient peut-être faits pour accomplir de grandes choses, en commençant par une saloperie, comme tant d'autres ont fait, font et feront. Il suffisait d'oser, de s'entendre une première fois. C'est Hélène qui avait pris l'initiative, Hélène qui s'était mouillée en jouant franc jeu devant son beau-frère. C'était à Sylvain de dire oui ou non... De savoir ce qu'il voulait, lui, et d'y mettre le prix, avec elle.

Hélène attendait, légèrement fébrile. Sylvain l'observait. Il la voyait différente de l'Hélène des autres jours. Elle lui faisait un peu peur, mais cette peur même l'attirait. Et puis elle réveillait en lui une vieille jalousie fraternelle. Hélène était très belle, quand Lucien l'avait épousée. Elle était encore très belle, plus femme en même temps que plus froide. Ce n'était pas pour déplaire à Sylvain, qui se méfiait des femelles offertes et palpitantes à tous vents.

Femme, oh! que oui... mais froide, pas tant que cela. Hélène avait posé sa main sur la nappe, paume tendue vers son beau-frère. Pour sceller leur union complice, Sylvain mit sa main dans celle de sa belle-sœur. Elle était brûlante. De quelle fièvre intérieure brûlait-elle donc? Était-ce l'ambition qui l'habitait, ou un autre sentiment... et lequel?

Les deux mains s'étreignirent.

« Alors? souffla Hélène.

— C'est demain soir qu'il devait rentrer, murmura Sylvain.

— C'est demain soir qu'il faut agir! conclut Hélène.

— Mais avant, s'inquiéta Sylvain, avant, il faut...

— Chut! Ne t'en fais pas. J'ai déjà un plan.

— Tu crois que...

— Je ne crois rien. Je suis sûre de moi, de toi... de nous, Sylvain. »

« De nous »... cela sonnait bizarrement.

Hélène et Sylvain se sourirent et se comprirent.

Cette nuit-là, ils se séparèrent encore, en dépit de quelque chose de commun à l'un et à l'autre et qui devait s'appeler le désir. Ce n'était même plus par prudence à l'égard d'une Lucile. A partir de cet instant, ils n'avaient déjà plus à se gêner. C'était, peut-être, pour mieux apprécier ce que seraient, par contraste, leurs jours à venir, à vivre à deux, unis pour le meilleur, même s'il fallait d'abord passer par le pire. Mais ce pire avait goût de revanche, et la revanche, pour les faibles, est un sentiment à la fois doux et fort, doux et amer, comme certains alcools.

Et puis, le crime parfait, ça existe! Par définition, la police l'ignore. Seuls, les acteurs sont au courant. Quand ils ne sont que deux et qu'ils ne font soudain plus qu'un, ils mettent toutes les chances de leur côté. Ils sont devenus les plus forts...

Trois semaines, depuis ce vendredi où un corps a été retrouvé dans le bois de Saint-Ixe.

Trois semaines plus un jour et une nuit, semblable à toutes les nuits de cet automne qui pourrit chaque jour un peu plus les feuilles qui tombent, mortes, et qu'on ne ramasse que dans les chansons.

Trois semaines, plus une autre interminable semaine pour David, infiniment las. David qui passe ses nuits à délirer, à rêver qu'il est coupable, et ses jours, à raisonner : si Lucien Serrat vivait, il serait de retour depuis longtemps, et David, innocenté, serait libre. Alors qu'il dépérit, corps et âme, en prison. Est-ce que Sébastien le trompe, par pitié? A moins que son ami ne se trompe lui-même sur le compte de ce policier qui devait soi-disant l'aider, faire éclater la vérité... La vérité! David a envie de vomir. D'ailleurs, avec l'espoir et le goût de vivre, il a perdu l'appétit. Il va commencer une grève de la faim : tant pis si ça em... tout le monde. Lui, il veut en finir, bien ou mal, mais en finir, vite. Il n'en peut plus.

Près d'un mois en effet, et Sébastien enrage. Il ne peut rien contre Serrat, rien pour David. Lui aussi en vient à douter de tout, de Gilles Étaix lui-même. Son hypothèse était séduisante — trop séduisante, comme une jolie femme fardée. Séduisante, mais fausse. La réalité, c'est que Lucien Serrat est mort. Que David fait un coupable idéal. Et la vérité, dans cette histoire ? Inconnue ! Et la justice ? Absente ! Et Gilles Étaix... bien loin, lui aussi...

Depuis une semaine, Gilles court derrière son banquier menacé. Il voit du pays, des bureaux, des gens qui se prennent très au sérieux. Rien ne se passe : le banquier vit toujours. Mais Serrat ? Gilles téléphone régulièrement à Dijon. Darbois en a assez de lui répéter. « Non, rien de neuf... je vous préviendrai. » Il lui arrive même de téléphoner à Saint-Ixe à « son ami René Barjou », pour parler cinéma, pluie et beau temps. Si Serrat était de retour, le patron du bar l'interromprait pour lui annoncer la nouvelle, incroyable mais vraie... Mais non, toujours rien, personne.

Trois semaines plus d'autres jours et d'autres nuits pour Hélène et Sylvain, qui ont donné les trois pipes au garde-chasse et réaménagé au goût de Sylvain le bureau de Lucien ; pour Lucile aussi, plus étrangère que jamais à tout ce qui se passe autour d'elle, et qui va rendre encore visite au mage, lequel ne lui distille plus qu'au compte-gouttes un espoir qui s'amenuise à mesure que le temps passe.

Bientôt novembre, déjà novembre.

Cette fois, c'est décidé, Sylvain va se présenter officiellement aux élections. Les gens d'ici sont ravis de l'apprendre. Ils vont avoir leur usine, et M. Sylvain, c'est un Serrat, comme M. Lucien. Il faudra simplement se faire à sa silhouette moins massive, à ses phrases moins précises, à son air moins décidé. Mais ce n'est pas plus mal comme cela, surtout que Mme Hélène est là, plus que jamais, mieux qu'avant même. On sent que c'est une femme de tête, qu'elle a surmonté sa peine, que le deuil a comme qui dirait trempé sa volonté. Elle ne quitte jamais son beau-frère, elle veille au grain. Mais elle reste très digne, évidemment. Autrement, elle ne serait pas bien vue. Un mari, surtout de l'envergure de Lucien, cela ne se remplace pas. C'est ce que pensent tous les gens de Saint-Ixe.

« Sylvain!
— Hélène! Crois-tu que...
— Viens! »

Hélène attire Sylvain dans sa chambre. C'est la première fois qu'ils ne se cachent pas. Sylvain tremble :

« Crois-tu que ce soit prudent?
— On n'a plus à être prudents!
— Et la petite?
— Lucile ne compte pas, tu sais bien.
— Quand même, ça me gêne! murmure Sylvain, tout encombré de sa grande pudeur d'homme. Dans « sa » chambre...
— Ah! non, je t'en prie, pas d'hypocrisie, dit Hélène.

— Tu ne penses plus jamais à lui? demande-t-il.
— Jamais! ment-elle avec beaucoup d'assurance.
— Moi si! avoue-t-il, comme un enfant.

Ils se déshabillent. Ils sont déjà amants depuis quelques nuits. Ils se sont découverts, surpris, amoureux l'un de l'autre, comme deux adolescents. Hélène n'avait jamais pensé faire l'amour avec un autre homme que Lucien : parce qu'un Lucien, c'était bien assez pour son tempérament à elle. C'était même trop. L'amour était vite devenu devoir, puis corvée conjugale. Alors, à quoi bon aller se chercher un amant et des complications?

Quant à Sylvain, il avait bien quelques amies, mais il n'était pas très porté sur la femme. Il se disait même — tout bas — que l'amour était quelque chose de très surfait dans la majorité des cas. Lucien, évidemment, était un exemple à part. Il avait grand appétit. Il consommait Hélène quotidiennement, et s'offrait de-ci, de-là quelques extras. Le bougre!

Et voilà qu'Hélène et Sylvain réunis, au lit, c'était une réussite. Une seconde jeunesse. Une autre forme de revanche. Une nouvelle vie. Tôt ou tard, cela se saurait. Vis-à-vis des gens de Saint-Ixe, il fallait encore attendre. Mais devant Lucile, cela devenait trop gênant de se gêner. Alors...

« Je t'aime, Sylvain.
— Je t'aime aussi.
— Dire que j'ai hésité, tu sais...

— Des scrupules qui t'honorent! affirma gentiment Sylvain.

— Non. La peur n'est jamais honorable.

— Peur... de lui?

— De toi, de moi. Je ne sais pas. Mais cela n'a plus aucune importance à présent. J'ai confiance. Toi aussi?

— Moi aussi, dit Sylvain, presque sincère.

— C'est bon.

— C'est bon. » admit-il.

Et, dans la nuit, ils s'étreignirent. Lucien reculait. Lucien était vaincu. Il n'était plus qu'un mauvais souvenir. Bientôt, il serait oublié. Ils avaient tant à faire, tous les deux. L'amour. La vie. Des affaires. Lucien était bel et bien mort et enterré, pour de bon cette fois.

Ils se sentaient forts. Enfin. Et, voluptueusement, ils savouraient cette revanche des faibles.

VII

L'HOMME À CHERCHER

Gilles Étaix est de retour à Dijon. Le banquier est en sûreté : à raison de mille francs par jour, il s'offre une dépression nerveuse dans une clinique pour dingues de luxe. Quand on a les moyens... Gilles lui en veut : il l'a fait marcher, courir, rouler, voler pendant trois semaines, pour rien. L'auteur des lettres anonymes, c'était lui! Le commissaire est intervenu juste à propos le jour où il allait mettre sa menace à exécution : un suicide, raté.

« Vous savez la nouvelle, Étaix? »

Gilles débarque : Darbois l'accueille, l'air sombre.

« Serrat?

— ... se présente aux élections. Sylvain Serrat! précise Darbois. Autrement dit, il semble que les Serrat, femme et frère, s'installent confortablement dans leur situation présente. Comme si le provisoire risquait de s'éterniser.

— Sylvain... candidat! murmura Gilles.

— Ce n'est pas si bête comme idée. Il a presque

toutes les chances de décrocher son siège de député — enfin, celui de son frère. L'un sème, l'autre récolte, campagne et moisson, tout se passe en famille ! Pourquoi souriez-vous ? C'est très sérieux, ce que je vous dis là. »

Très sérieux en effet. Et même grave. Mais Gilles reconnaissait l'idée qu'il avait émise il y a quelques semaines, prêchant l'impossible pour cerner le réel. Et voilà que les deux Serrat avaient fait leur cette idée, relevé la gageure. Gilles était-il pour quelque chose dans leur décision ? Sans doute que non. De toute façon, il n'en aurait pas été plus fier pour autant. Bien au contraire.

Mais l'important était de savoir ce que cachait réellement cette décision. Était-ce la disparition définitive de Lucien ? Lucien Serrat était-il mort ? Était-ce bien son corps qui avait été retrouvé calciné, puis identifié le 22 septembre ?

« Pourtant, raisonna tout haut Gilles, je suis certain de la présence de Lucien Larue en Suisse, quand j'y suis allé, également certain que Larue et Serrat ne faisaient qu'un.

« Donc, conclut tout bas Gilles, il serait arrivé quelque chose à Lucien après... Mais quoi ? Et pourquoi ?

— A moins, objecta Darbois non sans bon sens, que vous vous soyez trompé depuis le début de votre enquête, comme pour compliquer à plaisir des conclusions — les miennes — qui étaient les bonnes.

— Non !

— Bon! Vous avez raison... même si vous avez tort. J'aime bien vous voir comme ça, Étaix! Mais allez donc convaincre le juge que l'absence de faits nouveaux constitue en quelque sorte un... fait nouveau et justifie la poursuite de votre enquête! »

Le juge d'instruction ajusta ses lunettes : ce n'est pas tous les jours qu'il vous est donné de voir la tête d'un pareil entêté!

« ... et ne criez pas si fort, jeune homme! Mauvais œil, mais bonne oreille! » précisa-t-il.

Grand seigneur, il accorda tout juste dix jours.

« Passé le 15 novembre, je prends comme point de départ de l'instruction les conclusions de Darbois, qui ont au moins le mérite d'être simples et fondées. »

Gilles fonça : plus une seconde à perdre.

Il en passa juste quelques-unes avec Sébastien.

« Il faut retrouver Serrat! s'exclama l'avocat, reprenant confiance au contact du jeune commissaire.

— Mort ou vif! dit Gilles.

— Personnellement, je m'en moque un peu. Un salaud de plus, un salaud de moins... Mais David doit s'en sortir, lui. Alors?

— Je repars à la recherche de notre homme. Je vais tâcher de retrouver sa piste à partir du point où je l'ai laissée. A Zurich ou à Bâle. Je vous tiendrai au courant. Ne vous inquiétez pas et rassurez votre ami, ajouta Gilles à l'intention de Sébastien qu'il voyait doublement préoccupé. Ce n'est plus qu'une question de jours, d'heures... Oui, je sais, je vous ai déjà dit cela. Mais ce n'est pas ma faute si...

— Si quoi?

— Justement, je ne sais pas. Quelque chose est arrivé. Cela ne fait plus de doute. Mais quoi? Cela en fait encore un peu. »

Gilles Étaix hésita à faire un tour du côté de la villa des Serrat. Mais à quoi bon? Il ne leur ferait plus croire qu'il passait là en... passant, en simple curieux. Il serait toujours temps, plus tard, d'éveiller leurs soupçons, de s'en faire peut-être des ennemis.

Il renonça également à faire une visite au mage. Le vieux radotait certainement. Et Gilles n'avait plus de temps à perdre. Il s'envola donc pour la Suisse.

Sur place, il chercha et retrouva facilement la trace de Lucien Larue. Il réussit à faire parler le patron de l'hôtel de Bâle où le Français était descendu. Arrivé le 22 septembre au matin, il comptait repartir quelques jours plus tard. Puis il avait dû prolonger son séjour, s'en aller, revenir une semaine après. Il recevait de fréquents appels venant de l'étranger, notamment de Paris. Il en passait lui-même. Il avait dû acquitter une note de téléphone impressionnante avant de partir.

« Et ce départ s'est situé quand? demanda Gilles.

— Attendez, dit le patron, consultant son registre. C'était le... 10 octobre. Un mercredi.

— Savez-vous si Lucien... Larue rentrait chez lui? Et d'abord, où habitait-il?

— Ce n'était pas un monsieur à faire des confidences, monsieur.

— Non. Mais c'était quand même un client qui devait remplir une fiche comme les autres clients, n'est-ce pas ? »

Gilles sortit quelques billets de sa poche. Le patron n'hésita pas longtemps, consulta de nouveau ses archives, côté fiches... Gilles ne fut qu'à demi étonné en apprenant que l'homme habitait Paris. Puisqu'il se donnait deux personnalités, il lui fallait bien également deux domiciles. Cadet Rousselle non plus ne se préoccupait ni de la crise du logement, ni des frais généraux.

« Paris ? Tiens, tiens, fit Gilles.

— Sa voiture était d'ailleurs immatriculée 75, dit le patron.

— Une DS noire ?

— Non. Je ne suis pas très sûr, mais... une ID grise, je crois. C'était un monsieur très bien, crut bon d'ajouter l'hôtelier. Il ne lui est rien arrivé au moins ? » s'inquiéta-t-il.

Gilles resta évasif et remercia.

Il s'envola de nouveau, pour Paris.

A l'adresse indiquée, il fut accueilli par une charmante jeune femme, Lydia, une amie de Lucien. Elle le fit entrer dans un duplex élégant, moderne et pourtant chaleureux. Lucien avait du goût, et des goûts — semblait-il — moins bourgeois que ceux qu'on lui connaissait à Saint-Ixe.

Lydia fut d'emblée si aimable... que Gilles comprit : elle s'imaginait avoir à faire à un ami de Lucien, un ami à traiter en ami. Il ne crut pas bon de la détromper :

« Lucien n'est pas ici? s'étonna Gilles en feignant une amicale déception.

— Non! Il ne fait que passer de temps en temps, dit Lydia. Ça fait plus de trois semaines que je ne l'ai pas vu. Oh! je ne m'en fais pas. Simplement il aurait dû me donner un petit signe de vie, fit-elle avec une moue charmante. Mais il est très, très occupé, Lucien. Moi, je ne suis qu'une... récréation. Le repos du guerrier. C'est vrai qu'il a une chance de devenir...

— Quoi? dit Gilles, curieux de savoir ce que cette femme savait exactement de Lucien.

— Rien! se reprit-elle, comme si elle en avait déjà trop dit.

— La dernière fois que vous l'avez vu... c'était exactement quand?

— Il est parti le vendredi 12 octobre au soir. La nuit du 13... Vous pensez si je me rappelle la date! Ça porte bonheur, non?

— Je ne suis pas superstitieux, dit Gilles, qui sembla décevoir beaucoup Lydia. L'heure exacte?

— Je dormais à moitié. Et je n'ai pas la notion du temps. Alors...

— Savez-vous s'il rentrait chez lui, à Saint-Ixe?

— Je crois... Oui! confirma-t-elle. Je l'ai entendu passer un coup de fil à Hélène... Hélène, c'est sa femme, ajouta Lydia, avec un charmant sourire. Une femme comme un glaçon. C'est triste pour un homme comme Lucien.

— Bien sûr! dit Gilles avec conviction, en regardant Lydia.

— Si vous voulez l'appeler d'ici, offrit-elle en désignant le téléphone.

— Non, non, dit Gilles. Je dois retourner à Saint-Ixe.

— Comme vous voulez. Mais le téléphone, ça va quand même plus vite!

— Pas sûr! dit Gilles en riant. Dites-moi, vous lisez de temps en temps les journaux?

— L'horoscope. Les potins de la commère et la page des spectacles. Il faut bien se tenir au courant, non?

— Si! admit Gilles. Mais les faits divers, jamais?

— Non. Ça m'empêche de dormir quand je suis seule. Et quand Lucien est là, je n'ai pas le temps.

— Vous n'avez même pas entendu parler d'un... accident, dans les environs de Saint-Ixe, fit-il, volontairement évasif.

— Ah! si, dit-elle. Lucien m'en a vaguement parlé. Il s'agissait d'un certain... Ferrat... Perrat...

— Serrat! Lucien Serrat.

— Ah! oui, c'est ça. Mais... quel rapport avec Lucien Larue? »

Gilles fixa la jeune femme : feignait-elle l'ignorance? Ne savait-elle vraiment rien de la double personnalité de son amant? Lucien lui cachait-il soigneusement tout, de peur qu'elle ne bavardât? Ou bien se moquait-elle gentiment de Gilles?

Gilles se leva, un peu énervé.

« Vous partez? » dit-elle.

Elle semblait très déçue, comme quelqu'un mal récompensé de son hospitalité. Elle dévisageait celui qu'elle prenait pour l'ami de Lucien, et devait se dire qu'il n'était pas mal du tout avec ses yeux bleus, son front lisse et ses cheveux bouclés comme ceux d'une fille, sa mâchoire volontaire et ses mains d'artiste. Pas mal du tout. Pas la taille ni l'envergure d'un Lucien, évidemment. Mais en attendant Lucien...

« Pardon! Mais je suis très pressé aujourd'hui, dit Gilles, sentant qu'il manquait à tous ses devoirs. Il faut que je retrouve Lucien et...

— Il ne lui est rien arrivé? s'exclama la jeune femme.

— Pensez-vous! Qui d'autre que vous connaissait-il à Paris?

— Personne! » s'exclama Lydia, vexée.

Elle s'était méprise sur le sens de la question, ou bien, une fois encore, elle avait fait semblant. Gilles précisa, comme s'il en était besoin :

« Pour affaires, je voulais dire. Quand il venait de Saint-Ixe ou de Suisse, il devait bien avoir des rendez-vous avec des personnalités plus ou moins importantes pour lui? »

Lydia voulut bien se rappeler le nom d'un certain Beauchamp, Edmond, sous-directeur ou quelque chose comme ça, au ministère de l'Industrie ou quelque chose comme ça.

Gilles put obtenir rapidement un bref entretien avec Beauchamp Edmond, chargé d'inspection à l'Économie et aux Finances. C'était un vieil ami de Lucien. Il l'avait rencontré lors de son dernier séjour à Paris, il y a un peu plus de trois semaines. Lucien devait reprendre contact avec lui. Il commençait à s'étonner, à s'inquiéter même... Un homme d'habitude si exact, si carré en affaires.

Il ne fit qu'ancrer un peu plus Gilles dans la conviction que Lucien Serrat-Larue avait disparu le samedi 13 octobre, dans des conditions très mystérieuses, entre Paris et Saint-Ixe. Jadis, un corps en trop, à présent, un corps en moins... Décidément, ce Lucien donnait du fil à retordre. Ce Lucien, mort ou vif, mais qu'il fallait absolument retrouver...

Le vendredi 9 novembre au matin, Gilles se retrouvait à Saint-Ixe. La clé de l'énigme était là. Il le sentait. Là, et plus précisément chez les Serrat. Il n'avait plus le temps de passer pour ce qu'il n'était pas, plus le temps de se faire inviter. Il sonna à la porte de la villa.

C'est Lucile qui lui ouvrit. La jeune fille avait pâli, maigri depuis la dernière fois où il l'avait vue. Elle s'étonna naturellement de le voir.

« Ils ne sont pas ici, dit-elle.

— Je peux entrer, Lucile? »

Lucile s'effaça. Gilles pénétra dans la villa. Il remarqua immédiatement que l'installation avait changé en quelques semaines.

« Oui, dit Lucile. Tout a changé.

— Vous semblez le regretter! remarqua Gilles.

— C'est comme si mon père était vraiment mort. Avant, il restait des tas de choses de lui, comme...

— Les pipes! dit Gilles, qui constatait aussi leur disparition.

— Vous aviez remarqué ce détail? fit-elle, surprise.

— Je suis très observateur.

— S'il n'y avait que cela, dit Lucile. En tout cas, eux, ils l'ont vite remplacé.

— Ce qui signifie...

— Rien. Je disais ça... comme ça... Ils ne devaient pas l'aimer beaucoup.

— Et... ils s'entendent bien tous les deux?

— Oui! Très bien. »

Mais Lucile ne semblait pas vouloir en dire plus. Gilles se proposait d'en apprendre davantage de la bouche... ou des regards et des silences des deux intéressés.

« Et le mage? demanda-t-il sans sourire.

— C'est fini! dit-elle.

— Et... David?

— C'est fini aussi!

— Lucile...

— Oui, monsieur? dit la jeune fille.

— Si je vous disais que David n'est pas coupable...

— Je ne vous croirais pas! affirma-t-elle, très sûre d'elle.

— Et si j'ajoutais...

— Oui? »

Gilles hésita un instant. Il allait de nouveau troubler Lucile, raviver la peine. Mais il voulait à tout prix s'en faire une alliée dans la place. Il en aurait sans doute besoin, pour après. Et en l'associant à sa tâche de recherche de la vérité, il était sûr de son jeu à lui, de sa fidélité, de son honnêteté à elle. Alors, il devait aller jusqu'au bout, tout de suite, très vite, avant le retour des autres.

« Si j'ajoutais que votre père n'a pas été assassiné le vendredi 21 septembre dans le bois de Saint-Ixe.

— Mais... le corps, dit-elle en tremblant.

— Ce n'était pas le corps de votre père, mais un cadavre vieux de plus d'une semaine et volé à l'hôpital de Dole.

— Mais... comment savez-vous?

— Je sais.

— Je ne vous crois pas! dit-elle en doutant déjà très fort.

— J'ai une preuve : votre père était vivant le 12 octobre dernier. J'ai rencontré à Paris, hier, deux personnes qui l'avaient vu, en pleine santé. Et avant, il était en Suisse, pour affaires, sous le nom de Lucien Larue. »

Lucile venait de s'affaisser sur une chaise, comme une poupée de chiffon et de cire, avec ses longs cheveux blonds qui noyaient ses épaules, et son front livide. Elle leva les yeux vers Gilles, n'osant pas poser la seule question capitale.

« Et... maintenant, dit-elle enfin, avec effort, où est-il?

— C'est ce que je me demande! » dit Gilles, avouant son ignorance.

Mais il avait obtenu assez de crédit auprès de la jeune fille. A présent, c'était elle qui le pressait de son impatience, de son espoir retrouvé. Comme il avait de peine en imaginant qu'il lui faudrait sans doute faire une dernière peine, définitive, à Lucile!

Mais plus tard. Quand il serait absolument certain...

« Mais... il faut faire quelque chose, dit-elle. Vous allez le retrouver!

— En tout cas, je le cherche, assura Gilles avec conviction. Vous allez m'aider.

— Tout ce que vous voudrez! assura-t-elle.

— Et... eux? demanda-t-il, pensant à Hélène et à Sylvain.

— Je ne crois pas! dit Lucile. C'est affreux ce que je vais dire, mais si mon père revenait, je sens... qu'il les dérangerait. Ils font déjà des projets.

— Je sais! dit Gilles.

— Ce que vous ne savez pas, c'est que... »

Lucile baissa la tête. Gilles se demanda s'ils faisaient aussi l'amour ensemble. Cela également avait son importance, quoique... non, en se rappelant les deux Serrat d'il y a quelques semaines, il ne pouvait croire à leur complicité dans un crime commis par ambition et par amour, contre Lucien.

« Les voilà! dit Lucile, très vite et très bas.

— Restez! » dit Gilles.

Lucile s'était déjà enfuie. Il se trouva donc seul pour affronter les nouveaux maîtres des lieux.

Il leur fit une grosse — sinon heureuse — surprise.

« Qu'est-ce que vous faites ici ? » demanda Hélène.

La question était de rigueur. Gilles se dit qu'il devait jouer, qu'il avait tout à gagner et rien à perdre en les affrontant tous les deux.

« Je passais! dit-il.

— Encore! ironisa Hélène.

— Asseyez-vous! murmura Sylvain, vaguement gêné.

— Vous ne devinerez jamais ce qui m'amène ici. J'ai vu Lucien... »

Hélène fixa Gilles froidement et laissa tomber :

« Je n'aime pas qu'on plaisante avec certains sujets, monsieur.

— Je suis très sérieux, madame, releva Gilles. Mais vous ne me laissez pas finir ma phrase. J'ai vu Lucien... Larue en Suisse, le 10 octobre... Vivant, bien sûr. Bien et bon vivant même. »

Hélène resta impassible. Un tic tirailla le coin de la lèvre de Sylvain. Il essaya de sourire, mais le sourire devint rictus sous l'émotion. Hélène jeta un regard de reproche à son beau-frère. Gilles alla au secours de ce dernier, en faisant remarquer :

« L'émotion de Sylvain est bien légitime, madame. Apprendre que le frère qu'on avait cru mort vivait... Cela fait un choc.

— Inutile de vous dire que ni mon beau-frère, ni moi-même ne croyons à ce... roman policier. Le corps de mon malheureux époux a été retrouvé, identifié. Lucien Serrat est mort assassiné le vendredi 21 septembre.

— Tandis que Lucien Larue vaquait tranquillement à ses affaires. Je ne suis naturellement pas le seul à l'avoir remarqué. Il y a beaucoup d'autres témoins de sa santé d'alors! Des amis, des relations de Lucien Larue, qui se feraient un devoir ou un plaisir de reconnaître en lui Lucien Serrat. Et d'innocenter par là même ce malheureux Éliade qui n'a plus rien à faire avec le corps retrouvé et identifié à tort comme étant celui de son ennemi intime. Je ne vous intéresse pas, madame? » demanda ironiquement Gilles.

Hélène Serrat feignait de ne plus écouter l'intrus. Après l'inattention, elle mima l'ironie, mais elle en faisait quand même un peu trop.

« Oh! que si, monsieur. J'adore les intrigues policières. Plus il y a de morts, plus je suis heureuse. Pensez donc! Cela nous change de notre petite vie trop calme. C'est pourquoi je vous écoute avec passion, et je me demande comment vous allez terminer votre histoire. Car elle a une fin, n'est-ce pas?

— Tout a une fin, madame Serrat. Toutes les plaisanteries, toutes les histoires. La vie même... C'est la loi.

— Je ne vous savais pas philosophe!

— A l'occasion seulement. Pourquoi vous le cacher plus longtemps? Je suis... »

Gilles avala sa salive et le mot au bord de ses lèvres. Son personnage de réalisateur ne faisait plus assez sérieux. Mais celui de commissaire l'était trop! Il serait toujours temps d'exhiber son identité et sa carte, au moment d'accomplir des actes officiels. Pour l'heure, il suffisait d'endosser la personnalité pas très reluisante, mais pas trop encombrante de...

« ... détective! »

Hélène Serrat poussa un bref soupir — soulagement, énervement? Puis elle toisa le « flic privé » avec mépris :

« Pour qui travaillez-vous? »

Gilles n'eut pas le temps de chercher une réponse.

« Vous m'aviez dit... s'exclama Sylvain.

— On dit tant de choses, monsieur Serrat! Vous-même m'aviez dit qu'il n'était pas question pour vous de prendre la suite de votre frère dans la carrière politique. Et j'ai appris avec étonnement que vous aviez brusquement changé d'avis et que vous trouviez mon idée... bonne. N'est-ce pas?

— Après une longue réflexion, j'ai en effet décidé, avec Hélène... N'est-ce pas, Hélène? dit Sylvain qui semblait chercher une bouée de sauvetage de ce côté.

— Vous nous devez la fin de votre roman! » reprit la femme, sans s'occuper de Sylvain, mais très attentive à présent aux réactions de Gilles, comme si elle venait seulement de s'apercevoir que cet ennemi pouvait être dangereux.

« Oui. Mais peut-être pourriez-vous m'aider.

— Vous n'avez pas assez d'imagination!

— Je n'ai... *aucune* imagination, madame. Je ne crois même pas ce qu'on me dit. Je constate des faits. J'enregistre. Je vérifie tout. Par contre, je suis très curieux. Des gens. Des événements. Entre autres, de ce qu'est devenu Lucien Larue ou Serrat.

— Cherchez! Puisque, d'après vous, il est encore vivant...

— Je n'ai jamais dit cela! précisa Gilles. J'ai

dit qu'il était encore vivant le samedi 13 octobre au matin. Mais depuis, il s'est passé près d'un mois. Et il a disparu, sans laisser de traces...

— Cherchez! »

Hélène avait dit ce mot, comme si elle lançait un défi. Elle le répéta plusieurs fois. Exactement comme on parle à un chien. A tel point que Titus, le cocker de la maison, s'approcha, croyant qu'on lui parlait, et se mit à flairer au hasard dans la pièce. Hélène lui lança un méchant regard. Ce devait être le chien de Lucien. Elle ne s'en était pas débarrassée aussi facilement que des trois pipes. Et il était surtout plus gênant.

Gilles tendit la main à la bête. La bête vint lécher la main, les yeux humides. Le détective se dit qu'il aurait au moins deux alliés dans la villa : Lucile et Titus. Ce n'était pas rien. Ce n'était pas trop non plus : les deux autres étaient devenus deux blocs d'hostilité. Hostilité déclarée depuis longtemps chez la femme, plus sourde chez l'homme. Ils venaient de se rapprocher l'un de l'autre. La main de Sylvain serrait celle d'Hélène : Gilles leur trouva un air de famille. Mais un air différent d'il y a quelques semaines. Il y avait entre eux plus que de la complicité, plus qu'une habitude de coexistence acquise. Il y avait... comme une fraternité amoureuse. Cela aussi était changé, entre eux. Décidément, Lucien n'avait plus rien à faire chez lui. Le vide qu'il avait laissé était largement, joliment comblé. Revenant aujourd'hui comme Ulysse au terme d'un long voyage, il aurait été l'homme en trop.

Mais... était-ce une raison suffisante pour pouvoir soupçonner Hélène et Sylvain? Où chercher les preuves? Où chercher Lucien?

Gilles s'en alla. On ne lui dit pas au revoir. Lui pensa : à très bientôt. Mais ne dit rien non plus.

VIII

ENCORE... UN CORPS

Samedi 10 novembre.

Saint-Ixe s'apprêtait à fêter la victoire.

Pour Gilles, il n'était pas temps encore. Toutes ses petites victoires ne signifiaient rien. Il devait remporter la guerre, autrement dit savoir ce qui était exactement arrivé à Lucien le samedi 13 octobre, ou à la rigueur dans les jours qui suivaient. Mais il penchait plutôt pour le samedi. Lucien n'avait été que trop longtemps absent. Il n'était pas homme à flâner en route.

Et puis ce matin du 10 novembre, il s'était arrangé pour rencontrer Lucile, hors de la villa. Elle promenait Titus, sur lequel elle semblait faire un transfert affectif. D'ailleurs, il fallait bien que quelqu'un prît soin de la bête, en l'absence de Lucien.

« Quand il reviendra, dit-elle à Gilles avec un accent qui fit mal au cœur de l'homme, oui, quand papa reviendra, il sera heureux de savoir que Titus n'a pas été trop malheureux.

— Bien sûr! dit Gilles. Dites-moi, Lucile, n'avez-vous rien remarqué d'anormal le samedi 13 octobre?

— Non, pourquoi?

— Réfléchissez bien. Vous n'avez pas noté un changement d'attitude chez votre belle-mère et votre oncle? »

La jeune fille hocha la tête. Gilles crut bon d'insister, de la forcer à se rappeler. Le moindre détail pouvait l'aider, le confirmer dans son hypothèse, et surtout l'aider à préciser la date de la... disparition réelle de Lucien.

« Vous n'avez pas surpris une réflexion qu'ils auraient pu faire?

— A quel propos?

— Je ne sais pas.

— Attendez... Si! Oh! cela ne doit avoir aucun intérêt, mais... je suis très sensible, alors... ça m'a fait mal quand Sylvain a dit qu'il avait besoin d'un bureau et que celui de mon père ferait très bien l'affaire, mais qu'il n'aimait pas du tout la façon dont il était agencé.

— Oui. C'était quand?

— Le dimanche justement. J'ai même entendu Hélène lui dire : « Toi, tu ne perds pas de temps. » Il a répondu : « Ça fait déjà trois semaines qu'on « aurait dû... » A ce moment, je suis arrivée dans la pièce. Ils se sont tu. J'ai dit à Sylvain, qui est un peu paresseux d'habitude, qu'il se mettait à déménager un dimanche matin, et que ça m'étonnait de lui. Il n'a rien répondu. Ils n'ont plus fait attention à moi. Ils ne font même plus attention du tout, depuis quelques semaines. C'est comme si...

— Oui?

— Comme s'ils n'avaient plus à se cacher. Tandis qu'avant, ils me cachaient vraiment quelque chose. Mais peut-être que je me trompe...

— Rien d'autre à me signaler, Lucile? Le samedi soir par exemple, la veille?

— Ah! si, c'est vrai, mais ça n'a rien à voir avec mon père!

— Dites toujours!

— J'ai été un peu malade.

— Qu'est-ce que vous avez eu au juste?

— Je ne sais pas. Au repas de midi, j'ai dû manger du poisson pas très frais. Je suis très sensible de l'estomac. Eux, ils ont mangé sans avoir mal. Moi après, j'ai vomi. Oh! rien de grave. On n'a même pas fait venir le docteur. J'ai simplement pris un petit calmant pour mieux dormir la nuit.

— Et vous avez bien dormi?

— Comme jamais! Un plomb. Couchée à neuf heures. Réveillée à neuf heures. Moi qui ai souvent des insomnies...

— Cela ne vous a pas semblé suspect, de si bien dormir, de trop bien dormir!

— Non. Puisque j'avais pris des cachets.

— Vous avez pris... ou ils vous ont donné ces cachets?

— Je ne sais plus... J'ai fouillé l'armoire à pharmacie. J'ai voulu prendre les comprimés de papa. Mais mon oncle a dit que c'était trop fort pour moi. Il est descendu exprès chez le pharmacien et il m'a rapporté ce qu'il me fallait. »

Gilles se dit que si on avait voulu supprimer pour une nuit un témoin éventuellement gênant, on ne s'y serait pas plus efficacement ni plus discrètement pris. Il ne savait donc pas davantage ce qui s'était passé cette nuit-là. Du moins était-il presque sûr que « ça » s'était passé à cette date précise.

C'est pourquoi, quatre semaines plus tard, en cette nuit du samedi 10 novembre, Gilles allait et venait en voiture sur la route nationale qui aurait dû ramener Lucien de Paris à Saint-Ixe. Il ralentissait à hauteur du petit bois, non parce que le premier corps avait été découvert ici, mais parce que c'était le dernier endroit avant la petite ville où le criminel pouvait exécuter son forfait et passer le plus possible inaperçu.

Il faisait étonnamment doux pour la saison, cette nuit-là. Gilles sortit de sa voiture pour mieux réfléchir, guettant... il ne savait quoi, un hasard qui serait sa chance. Il avait croisé une fois en voiture un couple. Il surprit de nouveau l'homme et la femme, ou plus exactement... les deux gamins. A quelques mètres de la route, ils s'étreignaient, appuyés contre un tronc. Gilles ne put s'empêcher de se dire que l'amour les réchauffait et que lui-même se sentait bien seul. Il ne voulut pas les effaroucher, mais surprit quelques bribes d'un dialogue amoureux assez primaire et peu littéraire. Puis les deux amants — ils l'étaient, cela ne faisait plus de doute, malgré leur très jeune âge — se prirent par la main et retournèrent dans la direction de

Saint-Ixe. En passant, ils remarquèrent la voiture vide de Gilles. Ils semblèrent effrayés et hâtèrent le pas.

Gilles les rattrapa aux premières maisons. Il leur fit très, très peur, mais les rassura gentiment. Il ne leur voulait aucun mal, au contraire. Il leur paya un pot dans le premier café venu. Ils s'isolèrent dans l'arrière-salle, tandis que les consommateurs du samedi soir mettaient de l'ambiance à quelques mètres.

C'est le garçon, Louis, qui attaqua, bourru : « Pouvez le dire à ma mère. Je m'en f... »

C'était faux. La fille non plus ne s'en moquait pas. Plus pratique, Juliette joua cartes sur table : « Qu'est-ce que vous nous voulez? Pourquoi vous nous avez suivis?

— Ça vous arrive souvent de vous balader comme ça dans le petit bois, le samedi soir?

— On n'a pas d'autre jour ni d'autre endroit pour être tranquilles. Alors... conclut Juliette, fataliste, on se les gèle, mais...

— Parce que vous venez là tous les samedis soir?

— Bof! fit Louis.

— Et le samedi 13 octobre? » demanda Gilles, très intéressé.

Louis et Juliette se regardèrent, effrayés.

« Un samedi comme les autres, dit Gilles. Non? Écoutez, je ne vais pas jouer au plus fin avec vous. Samedi 13 octobre, il s'est passé quelque chose de grave. J'ai besoin de savoir exactement où et quoi. Autrement dit, j'ai besoin de témoins.

— Z'êtes flic! accusa Louis.

— Non. Détective privé! précisa Gilles pas mécontent de son nouveau métier d'emprunt.

— C'est pas vrai! fit Juliette, plus que sceptique. Moi j'en ai vu un, de détective, à la télévision, dans le feuilleton du vendredi. Il a pas l'air comme vous. Alors...

— C'est un faux et moi, je suis un vrai! conclut Gilles.

— En tout cas, on n'a rien vu, rien entendu, rien à dire! dit Louis.

— Imaginez que vous ayez été témoins d'un crime... En ne disant pas tout ce que vous savez, vous vous faites complice, et vous risquez gros! menaça Gilles.

— Viens! On file, Juliette, dit Louis qui se levait.

— On n'a rien vu, ajouta Juliette. D'ailleurs, à minuit, on n'était déjà plus là. Alors... »

Juliette finissait toutes ses phrases comme cela, par paresse d'avoir à conclure elle-même. Gilles s'en chargea, cette fois. Pourquoi avoir donné cette précision? Pour prouver qu'elle n'avait été témoin de rien avec Louis, qu'ils ne savaient rien de ce qui s'était passé vers minuit cette nuit-là.

Il laissa filer les deux gamins qui n'avaient évidemment aucune envie de faire la une de l'opinion locale, dans un rôle de témoins qui les désignait surtout comme coupables d'amour à la sauvette et à la belle étoile, quand leurs parents devaient les imaginer au cinéma. Mais il se dit aussi qu'il les rattraperait, le moment venu, s'il avait besoin d'eux. Ils ne seraient pas si difficiles à manœuvrer ; au besoin Gilles, redevenu commissaire, saurait les effrayer.

Mais en furetant, interrogeant, cherchant toujours, il se trouva un allié tout à fait imprévu et original en la personne d'un petit bonhomme, fils d'émigrés italiens, bavard comme pas un quand il en avait envie, paresseux comme tout quand il s'agissait d'aller en classe, coupant à la corvée en se faisant passer pour malade, et profitant de sa liberté ainsi gagnée pour courir les bois, enrichir son herbier, satisfaire de très saines curiosités qui n'avaient rien à voir avec le calcul mental et les auteurs au programme.

Entre curieux, on se comprend, on se rapproche... Quelques paquets de bonbons, et surtout des chewing-gums que Gomi (le bien surnommé) mâchait, maniait, crachait, gonflait, traitait de façon répugnante, permirent d'acheter l'amitié d'un gamin sevré d'affection et de gâteries.

Un incident qui risqua de tourner à la tragédie scella l'union de l'homme et de l'enfant. Un beau matin — bien trop beau pour travailler entre quatre murs de classe triste — Gilles se promenait avec Gomi. Il lui racontait l'histoire d'un détective privé qui, tel Zorro, se débattait pour sauver l'innocent et trouver les vrais coupables. Gomi trouvait cela passionnant. Surtout que Gilles situait son histoire dans la région de Saint-Ixe, et plus précisément encore dans le petit bois que l'enfant connaissait bien.

Soudain, une voiture les dépassa à toute allure et disparut dans le tournant tout proche.

« Un fou! » gronda Gilles, qui avait juste eu le temps de saisir l'enfant par le bras et de le pousser sur le bas-côté de la route.

Ils reprirent tous les deux leur chemin et leur conversation, quand de nouveau, après avoir fait demi-tour, la même voiture déboucha du tournant et se précipita sur Gilles. Gilles vit la mort en face, comme dans un cauchemar. Il calcula qu'elle était inévitable, car l'enfant était derrière lui, et en voulant éviter le danger qui fonçait sur lui, il exposait son petit compagnon.

Au même instant, Gomi se dégagea de derrière Gilles et se précipita devant comme un fou. La voiture le frôla, fit un écart, une embardée, se redressa et s'éloigna à toute allure.

Gilles releva Gomi, qui n'avait rien. D'une voix blanche, il s'entendit lui dire :

« Tu n'es pas dingue?

— Non! Puisque c'est à toi qu'ils en voulaient, pas à moi, moi, je risquais rien! » s'exclama-t-il avec une logique candide, et une confiance illimitée dans la marge de manœuvre d'un bolide lancé à près de cent cinquante à l'heure.

Gomi était debout, très solide sur ses jambes. Gilles en tremblait encore. Gomi lui offrit son petit bras ferme, son sourire tout aussi assuré.

« T'en fais pas! Je suis là, assura-t-il. J'avais bien vu que c'était toi qu'ils visaient.

— Par hasard, tu n'aurais pas aussi repéré le numéro de la voiture!

— Sais pas lire, avoua Gomi, sincèrement désolé. T'es pas fâché? »

Gilles prit l'enfant contre lui et le serra très fort, si fort que Gomi cria :

« Dis! Tu fais mal! »

Les deux amis reprirent leur chemin, évitant simplement de marcher sur la route et quittant le bois de Saint-Ixe, décidément dangereux pour tout le monde! Gilles était songeur : il n'avait pas reconnu la voiture de Sylvain. Il n'avait pas non plus remarqué l'identité du conducteur. Mais la manœuvre criminelle ne faisait aucun doute. Il devrait faire très attention désormais et se hâter de conclure cette affaire. S'imaginait-il que Gomi pourrait l'aider?

Preuve de confiance indéfectible, Gomi décida de montrer son « trésor » à Gilles. Il consentait même à lui laisser prendre un objet, au choix, pour que les cadeaux ne soient pas toujours à sens unique.

Gilles crut bon de s'extasier devant un incroyable ramassis d'objets hétéroclites, inventaire surréaliste qui faisait se suivre, sans se ressembler, un masque de mardi gras cauchemardesque, une poupée tronc, mutilée affreusement, un cendrier débordant de mégots, des cônes d'encens soigneusement classés par couleur, des restes de chewing-gum devenus sans doute aussi inodores et insipides qu'incolores, mais cependant trop précieux pour être jetés définitivement... Pour ne pas fâcher Gomi, Gilles hésitait entre un jeu d'osselets et des billes, certain que le gamin retrouverait vite des occasions semblables pour meubler le trou creusé par sa générosité... quand il tomba sur une montre : à coup sûr le clou de la collection. Il la prit, la soupesa. Gomi, inconscient de la valeur de la pièce, dit à Gilles :

« Elle marche plus, sauf quand on lui tape dessus. Mais elle vaut quand même bien... au moins cinquante francs. »

Comme tous les étrangers, il calculait naturellement en francs nouveaux. Gilles, en bon Français, estima la pièce d'un regard et d'une main de connaisseur, en francs anciens...

« Ou cinquante mille... Ou cinq cent mille, si elle est en or.

— Penses-tu! » fit Gomi.

Il n'en croyait ni ses yeux ni ses oreilles. Il devait regretter de n'être pas plus fort en calcul mental qu'en lecture, car il tentait vainement d'évaluer, même en très gros, combien cela ferait en chewing-gum, s'il pouvait troquer cette part du trésor contre sa gourmandise favorite... Il y renonça et, grand seigneur, tendit l'objet à Gilles, qui semblait l'apprécier à sa juste valeur.

« Je te la donne. »

Gilles fut très sensible à l'offre. Mais il allait la repousser en secouant doucement la tête, quand il lui vint une idée...

« Dis-moi, Gomi, qui te l'a donnée?

— J' l'ai prise! »

Gilles n'osait demander dans quelle poche, incapable de sévir. Mais quand même, son

regard se rembrunit. L'enfant se hâta de préciser:
« ... par terre.
— Ah! tu l'as trouvée, alors, rectifia Gilles, soulagé. Où?
— Quand je cherchais mes herbes, dans le bois... sur le talus. Je te montrerai l'endroit, si tu veux.
— Et quand exactement? Tâche de te rappeler. Ce peut être très important.
— C'était... le jour de l'interro écrite en géo. J' savais rien. Alors, j'y suis pas allé! Alors c'était mardi.
— Quel mardi? Gomi, je t'en prie, fais un effort! L'interro, c'était sur quelle région que tu ne connaissais pas?
— J'en connais aucune en France, sauf ici, et encore! C'était sur les Pyrénées. C'est le pire!
— Et les Pyrénées, c'était quand? En octobre dernier?
— Oui. A la mi-octobre.
— Le mardi 16 peut-être?
— Oui, admit Gomi.
— La montre, tu veux bien me la prêter?
— Puisque je te la donne, répéta l'enfant. Elle t'intéresse, hein!
— Oui, mais je te la rendrai, sauf... si c'est une pièce à conviction.
— A con... quoi?
— Je t'expliquerai, mon bonhomme. »
Gilles était soudain très pressé.
Il se précipita sur le téléphone, appela la villa

des Serrat. C'est — hélas! — la voix d'Hélène qui lui répondit :

« Allô ? Qui est à l'appareil ? »

Gilles jugea inutile de se présenter. Il allait raccrocher, quand il entendit la voix de Lucile, plus aiguë, qui, d'un autre poste, demandait à son tour :

« Allô ? Qui parle ?

— Moi! dit précipitamment Gilles. Il faut que je vous voie! »

Il entendit que la femme venait de raccrocher brutalement. Dans quelques secondes, elle risquait d'obliger Lucile à raccrocher à son tour. Gilles se hâta de lancer son message :

« Gilles. Rendez-vous au café de la place. Je vous attends. »

Gilles attendit une heure qui lui sembla une éternité. Il avait tapé sur la montre qui s'était remise en marche, avec un tic-tac bancal. Avant de s'arrêter, pour de bon.

Enfin, Lucile était là, avec Titus. Elle remarqua immédiatement l'objet, elle le saisit, le caressa, porta le boîtier à son oreille, puis dit tout doucement :

« Il faudra la faire réparer.

— C'était...

— Oui, à papa.

— Lucile, j'insiste, vous êtes absolument certaine que...

— Oui. Il l'emmenait toujours en voyage. Qui vous l'a donnée ? Celui qui vous l'a donnée sait forcément où est mon père, ce qui lui est arrivé. Je vous en prie...

— Non, Lucile. Il l'a trouvée par hasard. Mais cela devrait pouvoir nous aider à retrouver le... »

Il s'arrêta à temps, pour ne pas dire « le corps ». Mais Lucile avait compris. Elle ne se faisait d'ailleurs plus tellement d'illusion, après la flambée d'espoir quand elle avait appris que Lucien vivait, alors qu'on le croyait déjà mort, et que le corps découvert n'était pas le sien.

Et maintenant...

« Où était-ce? demanda Lucile. Dans le bois encore...

— Oui. »

Gilles flatta le museau du cocker qui lécha la main amie. Peut-être cette bête pouvait-il aider, à sa façon de chien.

Une heure plus tard, Gomi indiquait le lieu exact où il avait découvert son trésor. Titus, ravi de l'aubaine d'une promenade inhabituellement longue, gambadait, levait la patte à chaque tronc sympathique, mais semblait ignorer ce que Gilles espérait de lui. Gilles trouva n'importe quel prétexte pour éloigner l'enfant.

Il se retrouvait donc seul avec Lucile, déjà bien assez embarrassé. La jeune fille lui dit doucement :

« Ne vous inquiétez pas pour moi. J'ai compris, vous savez. Enfin, je me doute un peu... J'ai eu encore un cauchemar cette nuit.

— Est-ce que vous auriez sur vous, ou chez vous, Lucile, un objet qui aurait appartenu à votre père...

— Comme la montre? demanda Lucile.

— Non. Je voulais dire... un objet qui aurait pu garder son odeur. Comme... »

Gilles avisa, autour du cou de la jeune fille, un foulard de soie très masculin dans sa sévérité. Il était tombé juste. La main de Lucile déroula le foulard, le tendit à Gilles.

« Il me l'avait donné juste avant de partir. J'avais eu une petite angine, début septembre. Il m'avait dit : « Tiens, pour te tenir chaud! »

Gilles prit le foulard et appela :

« Titus! Ici, Titus! »

Titus réapparut, très excité, hors d'haleine... Il se précipita sur l'étoffe comme pour l'attraper. Il se trompait de jeu. Gilles la brandit très haut, hors de sa portée. Titus jappait, sautait, s'énervait... Lucile l'attrapa par son collier, le calma un peu, lui glissa dans sa large oreille des confidences chuchotées, qui eurent le don magique d'immobiliser l'animal. Gilles s'accroupit alors, mit le foulard sous le nez de Titus. L'odeur devait lui rappeler quelque chose... quelqu'un. Il se mit à gémir très doucement, comme un chiot qu'il n'était plus.

« Cherche! Cherche! » encouragea Gilles.

Lucile lâcha le collier. Titus haletait, museau dans la soie. Puis il partit en flèche et se livra à toutes sortes de gambades désordonnées. Avait-il vraiment compris ce qu'on attendait de lui, ou bien se dépensait-il vainement, au hasard?

De temps en temps, il revenait en trombe, respirait le foulard, repartait. Il parcourut ainsi plusieurs kilomètres peut-être, et Gilles désespérait déjà, quand soudain... le chien se mit à gratter le sol, tout près de l'endroit précis où Gomi avait déclaré avoir trouvé la montre. Il s'excitait autour de trois grosses pierres qui devaient l'énerver, mais qu'il n'était pas assez fort pour repousser. Gilles alla à son secours et, non sans peine, les écarta.

« Cherche! Cherche! »

Mais Titus n'avait plus besoin d'être encouragé. A présent, rien n'aurait pu le détourner de sa tâche de terrassier. La terre volait autour de lui, lui retombait à demi sur le museau, sur les pattes... Déjà, il disparaissait à moitié dans le trou. Son acharnement devenait frénétique. Soudain, il se mit à gronder, puis à hurler. Lucile, appuyée contre un tronc, retenait sa respiration. Gilles s'approcha du trou déjà béant. Il aperçut un soulier. Titus tirait comme un furieux sur ce morceau de cuir, qui lui résistait... tout simplement parce qu'il y avait un pied dans le soulier, et que le pied était rattaché à une jambe — et la jambe à un corps massif, recroquevillé, en état de décomposition déjà avancée.

Gilles voulut empêcher Lucile d'approcher. Elle se dégagea de ses bras, jeta un coup d'œil et tomba comme une masse, sans un mot. Mais Gilles n'avait pas besoin d'autre témoignage. Il était sûr que ce corps ne pouvait être que celui de Lucien.

Gilles eut toutes les peines du monde à empêcher Titus de s'acharner sur le cadavre de son maître et à l'en éloigner. Il faillit se faire mordre. En même temps, il devait transporter Lucile jusqu'à sa voiture. Il la conduisit à la pharmacie la plus proche.

Puis il alerta la gendarmerie et, de là, téléphona à Darbois.

« Ça y est! dit Gilles.

— Quoi? fit Darbois émergeant d'un dossier.

— Il est mort!

— Qui?

— Patron! dit Gilles, furieux. Serrat!

— Encore! s'étonna Darbois.

— On tient le corps. Venez!

— Vous êtes sûr que c'est le bon, cette fois?

— Son chien l'a reconnu!

— Alors... après cet exploit, mon vieux, vous n'avez plus besoin de moi.

— Si. Il faut un commissaire sur place. Pour constater. Simple formalité.

— Et vous?

— Moi? Je me suis fait détective privé...

— Quoi?

— Pour trouver les coupables.

— C'est une blague, Étaix!

— Non. Ça effraie moins, et je me sens plus libre...

— ... de faire des conneries! tonna Darbois. Si vous continuez, je ne vous connais plus!

— C'est tout ce que je vous demande une fois sur place, patron. Mais venez! »

Une demi-heure plus tard, un attroupement se formait devant le vrai corps de Lucien.

« Nom de nom de nom de... » recommençait le charcutier Legras, pour la seconde fois.

La femme de Mathieu s'abstint de s'évanouir. Elle

se contentait de répéter, avec un remarquable esprit d'à-propos :

« Celle-là, elle est un peu raide ! Mais l'autre alors, qui c'était ? »

L'arrivée d'Hélène et de Sylvain Serrat détourna l'attention. On s'écarta pour les laisser passer. Deux gendarmes étaient en train d'extraire du trou le cadavre en pitoyable état. Mais, cette fois, l'identification ne faisait aucun doute. Non plus que la surprise de la veuve et du frère :

« Lucien... murmura Hélène.

— Lui !... » s'exclama Sylvain.

Ils jetèrent un regard à Gilles, puis au commissaire Darbois. Et, instinctivement, ils se rapprochèrent l'un de l'autre, s'épaulèrent, se soutinrent mutuellement. Les épreuves n'étaient donc pas finies pour eux. Avec la découverte du corps, l'épreuve majuscule allait même commencer. Alors que, pour David, elle allait se terminer. Sébastien Labbé arrivait sur les lieux. De tous les présents, il était le seul à ne pas cacher sa joie. Il se précipita au-devant de Gilles qui l'arrêta d'un geste et l'emmena à l'écart :

« Enfin ! On va pouvoir le tirer de là ! Il était temps, ajouta l'avocat. Mais dites-moi... vous savez qui c'est ?

— Oui, dit Gilles en fixant les Serrat.

— Non ! s'exclama Sébastien, qui n'était plus tenu au courant depuis quelques jours des déductions et découvertes du policier.

— Si ! assura Gilles.

— Vous avez des preuves?

— Non. Mais... surtout ne me trahissez pas. J'ai encore changé de métier : pas plus commissaire que vous, pas plus metteur en scène que Darbois, mais détective. »

IX

LES COMPLICES

Moins de deux mois après la première affaire Serrat, Saint-Ixe était de nouveau bouleversé dans ses habitudes et son calme sacro-saint. Ainsi, l'affaire redevenait « à suivre », dans la meilleure tradition des feuilletons télévisés.

Mais les braves gens du pays ne se doutaient pas à quel point ils allaient passer de surprise en surprise, dans les jours à venir. Ni dans quel sens imprévisible pour eux les événements allaient se précipiter.

Tout d'abord, ils ne comprirent rien à cette ordonnance de non-lieu qui redonnait la liberté à David Éliade. Pour eux, c'est tout juste si Lucien Serrat n'était pas mort deux fois assassiné. Ils ne voyaient pas comment le juif, l'étranger, s'en tirait innocent.

Sous le coup de la surprise, Hélène et Sylvain ne raisonnèrent d'ailleurs pas plus subtilement.

« Éliade a été suffisamment confondu par le témoignage d'Agathe Monmart, déclarait Hélène Serrat. Il a été vu, entendu, sa présence sur les lieux du crime est certaine à la date, à l'heure même où il se produisait.

— Et la découverte du corps de mon frère, enterré au lieu d'avoir été brûlé, ne change rien au fait que cet homme le détestait et l'a assassiné, renchérit Sylvain.

— Je vous arrête! dit le commissaire Darbois. Comme vous devez le savoir, l'autopsie permet de préciser à peu de chose près la date de la mort. Or, le médecin légiste qui a examiné le corps de Lucien Serrat, étant donné son état de décomposition et les conditions dans lesquelles il a été conservé, est formel : la mort remonte à environ un mois. Cinq semaines au maximum, et trois au minimum. Mais en aucun cas au 21 septembre, ce qui ferait près de huit semaines. Si bien que David Éliade ne peut être le coupable ; il était en prison.

— Mais... l'autre corps objecta Hélène Serrat.

— L'identification n'est plus possible, hélas! Mais la présence de David Éliade sur les lieux — dans des circonstances qui restent à préciser — ne suffit pas à le désigner comme coupable. Il a pu être témoin bien involontaire. On a pu vouloir l'impliquer dans cette histoire, sans qu'il y soit pour rien, au contraire! C'était peut-être un piège.

— Enfin, monsieur le commissaire, dit Sylvain, il y a un corps, il y a donc un meurtre, donc un coupable, donc ce David Éliade est au moins suspect numéro un et...

— Je vous arrête encore! dit Darbois. Encore faudrait-il trouver un mobile à ce prétendu coupable dans ce prétendu meurtre. Je vous ai dit que le corps, le premier, ne pouvait être identifié à coup sûr.

Mais nous avons de sérieuses présomptions. Il s'agirait d'un cadavre qui aurait disparu de l'hôpital de Dole, dans des conditions mystérieuses.

— Tout ceci est d'un macabre... et d'un rocambolesque! murmura Hélène.

— Je ne vous le fais pas dire, madame, dit le commissaire.

— Il me semble, remarqua la femme, que la police ne fait pas très bien son métier, arrêtant un faux coupable, identifiant un faux corps, laissant à un simple détective le soin de retrouver le vrai, relâchant alors le faux coupable qui n'est peut-être pas si innocent que cela...

— Tout cela à cause d'une malencontreuse identification, madame, fit remarquer à son tour le commissaire.

— C'est ça! C'est nous maintenant qui allons être coupables de...

— Non, madame! s'exclama Darbois, qui pensait qu'elle allait un peu vite en besogne et que, cette fois, la police avait tout intérêt à se hâter lentement et surtout sûrement. Pas coupables, mais quand même responsables.

— Mais cette alliance, monsieur le commissaire?

— Évidemment! Elle vous a trompés tous les deux, comme elle a égaré la police. Nous devons donc rechercher ensemble qui avait intérêt à maquiller ainsi le corps, à le faire passer pour celui de Lucien Serrat... alors que Serrat, sous le nom d'un certain Larue, vaquait tranquillement à ses occupations en Suisse.

— En Suisse! s'étonna Sylvain.
— Vous l'ignoriez?
— Bien entendu, monsieur le commissaire. »
Les Serrat venaient de se récrier avec un bel ensemble. Ils commençaient à s'énerver sur leur chaise. Il fallait les comprendre... Darbois comprenait très bien. Mais il avait encore quelques petites questions à leur poser, tout à fait incidemment.
« Connaissez-vous un certain Bellard? René Bellard? »
Les Serrat cherchèrent dans leur mémoire, se regardèrent, puis firent non de la tête.
« C'est un infirmier... enfin, c'était un infirmier de l'hôpital de Dole.
— Mais... nous n'avons jamais fait appel aux services de cet établissement. Notre médecin de famille nous donne entièrement satisfaction et je ne vois pas pourquoi... dit Hélène Serrat vivement.
— Bien, bien, bien, fit Darbois, apparemment satisfait. Et monsieur Étaix? Gilles Étaix?
— Ah! celui-là! » murmura Sylvain Serrat.
Hélène ne disait rien, mais n'en pensait pas moins, et ne faisait même aucun effort pour dissimuler une franche hostilité.
« Celui-là, vous semblez bien le connaître! dit Darbois.
— Bien, c'est beaucoup dire, monsieur le commissaire, reprit la femme. Cet individu s'est arrangé pour s'introduire chez nous. Il se disait artiste, cinéaste. Pensez donc, avec cette tête de faux jeton, j'aurais dû me douter du vilain métier qu'il faisait! »

Un geste échappa à Darbois.

« Enfin, monsieur le commissaire, tout le monde sait que les détectives privés sont des flics ratés et des maîtres chanteurs en puissance. »

Darbois, pour ne pas le trahir, renonça à défendre son jeune collègue devant le couple. Mme Serrat, bien partie, continuait :

« Nous ignorions alors pour le compte de qui cet espion travaillait. J'aurais dû m'en douter...

— Moi aussi! avoua Sylvain.

— Oh! toi, lui dit Hélène, tu es toujours trop bon, trop crédule... Bref, ce Gilles Étaix s'est fait inviter, nous a posé des questions très indiscrètes, a réussi à avoir des entretiens en privé avec ma fille, qui est mineure. Il a abusé de sa confiance...

— C'est quand même lui, madame, qui a permis que soit retrouvé le corps de votre mari.

— Il ne l'a pas ressuscité! s'exclama Hélène.

— Non! Mais il ne faut pas demander trop de miracles à un homme, objecta le commissaire. Personnellement, je pense qu'il faut lui être déjà très reconnaissant.

— De quoi donc?

— Mais d'avoir fait libérer un innocent, ce qui nous permettra d'atteindre le vrai coupable!

— Monsieur le commissaire, dit Hélène Serrat, puis-je vous parler franchement?

— Mais je vous en prie, madame.

— Et en étant sûre que vous ferez bon usage de ce que je vais vous dire, que vous tâcherez de le vérifier et ne l'ébruiterez pas maladroitement?

— Qu'est-ce qu'il y a, Hélène? demanda Sylvain, inquiet.

— De quoi s'agit-il? demanda le commissaire, très curieux.

— Eh bien, voilà à quoi j'ai pensé. Dès le début, j'ai senti qu'il y avait quelque chose de louche dans l'attitude de ce type. Il a fureté dans la villa. Dieu sait ce qu'il cherchait et ce qu'il a pu y trouver, notamment dans les affaires de mon pauvre époux que nous avions eu le tort, mon beau-frère et moi-même, de ne pas mettre en ordre et ranger tout de suite dans un coffre. Dans le village aussi, il a fait parler les gens, comme un vrai flic... Pardon, je voulais dire, comme un faux. Puis... il disparaît. Mais je sais où il est allé. C'est lui-même qui nous l'a dit, quand il a fait sa réapparition. Il est allé en Suisse. Donc, il connaissait la destination du voyage de Lucien. Il s'est aussi rendu à Paris. Votre médecin légiste dit que la mort de la victime remonte à un mois environ. Il y a un mois, Lucien était quelque part entre Bâle et Paris, ou entre Paris et Saint-Ixe. Gilles Étaix était le mieux placé pour le savoir, pour le suivre, pour... »

Hélène Serrat s'arrêta net. Sylvain était pendu à ses paroles. Il écarquillait les yeux, comme on doit le faire devant une vérité bien cachée, mais qui se révèle soudain, si évidente, que c'est à se demander comment on n'y a pas pensé avant.

Quant au commissaire Darbois, il voyait enfin où la femme voulait en venir.

« Et le mobile? demanda-t-il.

— Étaix travaille pour Éliade. Éliade, sûr de son alibi, sûr que la police tomberait dans le piège, pouvait faire faire la sale besogne par un professionnel quelconque.

— Quitte ensuite à tenter de le supprimer! » dit Sylvain.

Cette fois, c'est lui qui eut droit à son effet de surprise. Hélène Serrat le dévisagea, se demandant où il voulait en venir. Quant à Darbois, il le lui demanda tout haut et tout net :

« A quoi faites-vous allusion, monsieur Serrat?

— Oh! monsieur le commissaire, moi, je suis plus naïf que ma belle-sœur. J'avoue que jusqu'à ces dernières minutes, Gilles Étaix, sans être un ami, ne me semblait pas du tout dangereux. C'est d'ailleurs moi qui l'avais ramené à la maison, invité, sans savoir ce que je faisais. Hier encore, je l'ai pris en stop sur la route. »

C'était au tour d'Hélène de s'inquiéter. Mais Sylvain continuait tranquillement sa petite déposition.

« Chemin faisant, il m'a parlé d'un incident, qui aurait pu tourner très mal pour lui. Une voiture qui avait foncé dans sa direction et ne l'avait manqué que de justesse, évitant de tuer un gamin qui était avec lui. Gilles Étaix avait été très vivement ému par cette aventure. Il ne sait toujours pas qui était au volant de la mystérieuse voiture... Peut-être encore un complice d'Éliade. »

Le commissaire en avait assez entendu. D'ailleurs les deux Serrat n'avaient plus rien à dire, provisoirement du moins.

Darbois parla immédiatement à Gilles de cette histoire d'attentat. Avait-il vraiment frôlé la mort de si près?

« Qui vous l'a dit? s'exclama Gilles. Gomi, le gamin?

— Non. Sylvain Serrat.

— Mais... comment le sait-il?

— C'est vous qui le lui avez raconté hier...

— Première nouvelle! ironisa Gilles. Décidément, il est plus gonflé... ou moins prudent que je ne le pensais! Quant à elle...

— Ne sous-estimez pas la belle-sœur et son imagination!

— Parce que?

— Elle a trouvé le coupable!

— Tiens! fit Gilles, intéressé. Qui?

— Vous.

— Je n'y aurais pas pensé!

— Moi non plus, avoua Darbois. Mais si vous n'étiez qu'un détective, ni commissaire ni ami, j'aurais trouvé sa démonstration presque convaincante!

— Et j'aurais été la victime de votre seconde erreur policière. »

Darbois grimaça un sourire, pour faire semblant d'apprécier la plaisanterie.

Avant même de chercher à rendre aux Serrat la monnaie de leur pièce, Gilles rendit visite à celui dont il avait tellement entendu parler, pour qui il avait pas mal travaillé et qu'il désirait tant connaître : David Éliade.

Il tomba sur un vieil adolescent extrêmement affaibli, l'esprit vaguement dérangé, semblait-il, mais éperdument heureux et reconnaissant d'avoir retrouvé ce bien suprême qui a nom liberté. David le prit dans ses bras et l'embrassa chaleureusement, comme un ami de toujours.

« Jamais je n'oublierai ce que vous avez fait pour moi, dit-il. Sébastien m'a dit. Depuis le début. Je ne voulais pas y croire. Maintenant encore, j'en reviens à peine. Mais Lucile aussi m'a beaucoup parlé de vous depuis hier.

— Lucile! s'exclama Gilles. Cela signifie que vous l'avez beaucoup vue?

— Nous étions un peu... amis, avant. Pas amants, oh! non. Elle est si jeune, si enfant. Et puis, ce n'est pas cela qui nous intéresse, elle et moi. Nous avons tant de choses à nous dire.

— J'imagine, dit Gilles qui imaginait en effet assez bien la communion qui pouvait unir ces deux êtres un peu à part.

— Je voudrais vous poser une question, monsieur...

— Gilles! dit Gilles. Je vous écoute.

— Qui a tué Lucien Serrat? Puisque ce n'est plus moi aux dernières nouvelles, il faut bien trouver un autre coupable.

— En effet! admit Gilles. On s'y emploie, le commissaire Darbois et moi!

— Pour ce qu'il a été efficace, celui-là! marmonna David qui avait tous les droits de se montrer sceptique.

— Sa tâche n'était pas facile ! dit Gilles. Et en dépit de charges accablantes, c'est grâce à ses doutes et à ceux du juge d'instruction que nous devons d'avoir pu bénéficier — vous et moi, précisa-t-il en souriant — d'une commission rogatoire pour complément d'enquête. Et maintenant, le dénouement approche. »

Les deux hommes se séparèrent, heureux de s'être enfin connus, appréciés mutuellement, malgré des différences de personnalités évidentes. En quittant David, Gilles laissait la place à Lucile, qui venait d'arriver. Il fut très soulagé de remarquer que la jeune fille ne semblait pas trop bouleversée par les événements des derniers jours et la macabre découverte à laquelle elle avait assisté. En fait, Lucile venait de perdre (définitivement cette fois) un père, mais de trouver un ami en la personne de David. Si bien que son cœur ne perdait pas au change.

Gilles Étaix n'eut aucun mal à convaincre Darbois que la piste qui devait mener au coupable passait certainement par René Bellard. Grâce à un mandat de perquisition, on put fouiller le taudis dans lequel vivait cette brute épaisse, et y découvrir une très grosse somme d'argent en billets. Bellard, chômeur de son état depuis son renvoi de l'hôpital, n'avait effectivement pas à s'en faire, question avenir, du moins dans l'immédiat.

« Cet argent, d'où vient-il ? lui demanda le commissaire Darbois.

— J' l'ai gagné.

— Je n'en doute pas. Mais je voudrais savoir comment? En quoi faisant?

— En jouant.

— A quoi? Aux billes... Au gendarme et au voleur...

— Tiercé! »

Manque de chance : René Bellard ne jouait jamais au P. M. U local. Il ne connaissait rien aux chevaux. Il jura qu'il avait joué une fois, même que c'était sa date de naissance, précisait-il, l'air pas très malin... Pas du tout malin, en effet. La date de naissance du soi-disant gagnant n'était pas sortie ces derniers mois.

René Bellard bredouilla. Il devait chercher une échappatoire et cela risquait d'être long. Il se retrouva en garde à vue, pour un délai de vingt-quatre heures. Les policiers commençaient l'interrogatoire quand Gilles se rappela les deux amoureux, témoins peu coopératifs qui en savaient certainement plus long qu'ils ne lui en avaient dit, sur les circonstances du meurtre de Lucien Serrat, cette fameuse nuit du samedi 13 octobre. Il était temps de retourner les ennuyer un peu — pas trop, juste ce qu'il fallait.

Darbois suggéra, avec raison, de procéder plus officiellement. Le fait d'être convoqué en bonne et due forme dans les locaux de la gendarmerie locale leur ferait prendre plus au sérieux les menaces éventuellement suspendues au-dessus de leurs jeunes têtes.

Juliette et Louis se retrouvèrent donc dans un

bureau, face à un vrai commissaire, flanqué de Gilles Étaix.

« J' savais bien que vous étiez pas détective! » assura Juliette.

Dans un beau et bref discours, Darbois fit appel au sens civique des deux adolescents. Apparemment, ils ignoraient jusqu'à la signification de ces mots. Par contre, quand Gilles leur promit que leurs familles ne seraient mises au courant de rien, au sujet de leurs rapports intimes dans les bois de Saint-Ixe, si — et seulement si — ils parlaient, Louis trouva le mot exact pour résumer la situation et le dilemme qui s'ensuivait :

« Parole! C'est du chantage!

— Si tu veux, mon bonhomme! admit Darbois.

— Mais c'est dég...

— Sois polie! » ordonna Gilles à la minette qui l'énervait de plus en plus.

Finalement, les deux hommes surent ce qu'ils voulaient savoir : pas grand-chose, mais mieux que rien et apparemment tout ce que les deux témoins pouvaient leur livrer comme renseignements...

C'est ainsi que le samedi 13 octobre au soir, vers vingt-trois heures, ils s'étaient isolés à une centaine de mètres de la route, en plein bois, comme ils aimaient à le faire pour être tranquilles. Ils avaient entendu le bruit d'une voiture freinant brutalement après un coup de klaxon. Dans le silence de la nuit, cela leur avait même « coupé la chique », paraît-il. Plus curieux que peureux, ils avaient avancé dans la direction du bruit, pour entrevoir deux hommes qui en tiraient un troisième, mal en point, blessé, évanoui, peut-être... pire, ou peut-être simplement ivre. Le samedi soir, c'était des choses qui arrivaient. Faut bien s'amuser comme on peut à Saint-Ixe. Surtout que sorti du cinéma et de la télévision, côté distraction, c'est pas très excitant. Bref, c'était tout. Louis et Juliette, coupant par le bois, avaient décidé d'éviter les trois hommes.

Ils allaient quitter le bureau, quand Gilles vit la fille qui hésitait sur le pas de la porte. Le garçon lui prit la main et la gronda :

« Magne-toi!

— Attends un peu! » somma Gilles.

Juliette hésita, entre les deux ordres contradictoires. Mais elle était encore placée sous l'autorité des maîtres des lieux, donc des autorités policières. Elle leur obéit, se retourna.

« Les deux types...

— Oui? demanda Darbois. Quoi?

— Ils causaient...

— Et qu'est-ce qu'ils disaient? Vous avez entendu des mots?

— Non! fit Juliette. Mais...

— Quoi? insista Gilles. Ils avaient une drôle de voix?

— Y' en avait un qui bégayait, je crois.

— Vous en êtes sûre? Cela peut être capital comme détail! »

Toute gonflée d'importance, Juliette se rengorgea, réfléchit très sérieusement et dit :

« Oui. Un des deux bégayait. »

Louis n'avait pas remarqué. Mais il avouait ne pas avoir l'oreille aussi fine. Et puis, il avait vraiment le feu aux trousses. On laissa partir les deux amoureux, en leur jurant l'impunité... amoureuse, bien sûr. La police avait d'autres chiens à fouetter, d'autres crimes autrement moins pardonnables à traiter!

« Ils étaient deux. Et l'un des deux bégayait! murmura Gilles.

— C'est à vérifier! conclut Darbois. Elle a pu dire ça pour se rendre intéressante.

— Peut-être. Mais je ne pense pas! dit Gilles. La première fois que je leur avais parlé, je savais qu'ils avaient vu ou entendu quelque chose de suspect et qu'ils se taisaient par peur... comme une bonne moitié des témoins.

— Oui, dit Darbois. L'autre moitié affabulant au contraire de plus ou moins bonne foi. Et avec de faux ou de mauvais témoins ou des témoins absents, allez donc faire de la bonne police! »

Les deux hommes eurent une heureuse surprise en apprenant que René Bellard avait parlé, lui aussi... En ce sens qu'il avait dit :

« J'ai rien fait! Mais j'étais pas seul. »

Double affirmation pour le moins paradoxale, sinon contradictoire! Il avait donné un nom, celui d'un Richard Bohn, plus ou moins braconnier de son état.

Richard Bohn, amené à la gendarmerie de Saint-

Ixe, tremblait de tous ses membres et jurait de son innocence. Très déçus, Étaix et Darbois constatèrent... qu'il ne bégayait pas. Alors...

Ils laissèrent aux gendarmes le soin de l'interroger. Le soir même, Bohn avait avoué. Pas tout, même pas l'essentiel. Mais c'était un début.

Il avait donc reconnu être le complice de Bellard, et l'auteur de la mise en scène macabre du vendredi 21 septembre. Tous deux avaient été payés par Lucien Serrat qui, pour des raisons qu'ils n'avaient pas à savoir et ne savaient donc pas, voulait passer pour victime d'un « accident ». Il s'agissait « seulement » de sortir de la chambre froide un cadavre « présentant bien », en bon état, de l'amener en voiture et en pleine nuit, sur le bord de la route, dans le bois de Saint-Ixe, et de le brûler. Puis de lui passer une alliance à demi-calcinée elle aussi. Quant au juif, il avait menacé de mort Lucien Serrat, alors, pour lui donner une bonne leçon, on l'avait attiré la nuit dans le bois. Pour un combat loyal entre hommes — à un contre deux, il est vrai. Serrat, qui était un brave type, et même un monsieur, avait recommandé de ne pas cogner trop fort. Et il avait bien payé ses deux aides.

Voilà, c'était tout.

Étaix et Darbois se regardèrent, perplexes. Était-ce vraiment tout? Non, sans doute. Mais si on ne pouvait plus rien tirer des deux hommes, peut-être n'avaient-ils pas trempé dans le meurtre de Lucien? Ils juraient leur grand Dieu n'avoir plus eu de rapport direct avec la famille Serrat. D'ailleurs, pour tuer un homme, jamais ils n'auraient marché! Surtout pour assassiner ce brave M. Serrat, pour qui ils n'avaient que de la reconnaissance. Pour le reste, aucune honte avouée. Ils détestaient le métèque. Si David Éliade moisissait en prison pour une affaire où il était innocent, dans leur esprit borné, il ne faisait que payer pour d'autres sales histoires où il avait bien dû se mouiller, lui. Si ce n'était pas lui, c'était ses frères. De toute façon, il n'était pas injuste qu'il payât. Et au retour de Lucien, tout s'arrangerait pour lui. Apprenant finalement la mort de Serrat, et que rien ne s'arrangeait pour le faux coupable, bien au contraire, Bohn avouait avoir eu un cas de conscience — c'était tout à son honneur. Il réfléchissait encore au moyen de le résoudre, quand il avait appris la libération du bouc émissaire : tout était bien qui finissait bien. Mais voilà qu'à présent, c'était lui qu'on inquiétait, avec René. Deux innocents qui ne comprenaient pas pourquoi on s'acharnait ainsi sur eux!

Bref, Bohn s'était montré bavard, au contraire de Bellard, le taciturne. Mais la police ne savait toujours rien sur le meurtre de Lucien.

Darbois quitta le poste de gendarmerie, un peu découragé. Il laissa Gilles sur place. Gilles qui avait l'intention de cueillir Richard Bohn à la sortie, de lui payer un verre, d'essayer à son tour de le faire parler encore. Les bavards, c'est bon, ça raconte n'importe quoi. Et dans ce fatras en désordre, on peut souvent recueillir quelques perles, les enfiler, en faire un collier, et tout ça peut faire un trésor...

Gilles sourit, en pensant, par une curieuse association d'idées, à la montre, aux trouvailles de Gomi, au petit bonhomme qui lui avait sauvé la vie, et qui devait en ce moment même bâiller en classe.

Un des gendarmes sortit du poste pour fumer une pipe et prendre l'air. Il remarqua Gilles :

« Vous attendez quoi au juste ?

— Bohn, un des deux témoins.

— Vous voulez encore le faire causer ?

— Peut-être...

— Ben ! Je vous souhaite bien du plaisir. »

Le gendarme se mit à rire : Gilles se dit qu'il était un peu bête, car lui ne voyait pas ce qu'il y avait de si drôle.

« Pourquoi ? demanda Gilles. Il a été assez bavard avec vous, je crois. Ça vaut mieux qu'un témoin muet, non ?

— Si. Mais celui-là, non seulement il est ba... bavard. Mais il est aussi bé...bègue ! » bégaya le gendarme, riant encore.

Gilles le saisit par le bras, lui coupa le rire dans la gorge :

« Bègue ? Bohn ! Mais tout à l'heure, quand on l'amenait, je l'ai entendu, il parlait comme tout le monde.

— Oui. Mais quand il est ému ou en colère, c'est comme moi quand je ris, il se met à bé...bégayer au bout de deux... deux minutes ! »

Gilles partit : il ne voulait pas en entendre ni en dire davantage. Lui aussi était si ému et si gai qu'il se serait mis à bé...bégayer.

Il courut annoncer la nouvelle à Darbois : il y

avait toutes les chances pour qu'ils tiennent, en René Bellard et Richard Bohn, les deux...

« ... coupables! dit le commissaire.

— Complices! rectifia Gilles. Complices de Lucien Serrat pour le premier épisode grand-guignolesque. Complices également pour le second, plus tragique celui-ci.

— Oui, mais cette fois, complices de qui?

— Des vrais coupables.

— Au pluriel, Étaix?

— Ça ne m'étonnerait pas, patron. Et vous?

— Moi non plus, mais ça reste à prouver!

— Oui, admit Gilles.

— Il va falloir qu'ils passent aux aveux, nos deux zigotos. Qu'ils disent pour le compte de qui ils travaillaient. Ou sinon...

— Écoutez! dit Gilles. J'ai une autre idée. Le juge d'instruction m'a laissé jusqu'au 15. J'ai encore deux jours, pendant lesquels les deux hommes vont être remis en liberté...

— Certainement pas! s'exclama Darbois. J'avoue que vous jouez souvent gagnant. Mais si jamais ces deux types faisaient encore un malheur, ou en profitaient pour nous échapper! La frontière n'est pas loin. Pour les ravoir ensuite... La liberté! Hmm! Et quoi encore? La liberté...

— ... surveillée, concéda Gilles. Mais je vous en prie, dites à nos hommes d'être discrets. Il faut que les types se sentent libres comme l'air, si je veux que mon plan réussisse.

— Peut-on savoir?

— Non. Vous verrez. Deux jours, patron, rien que deux jours. »

Le commissaire acquiesça. Gilles avait liberté entière de manœuvre.

Quant à René Bellard et Richard Bohn, se retrouvant en dehors de la gendarmerie, ils se regardèrent et pensèrent avec un bel accord qu'ils l'avaient échappé belle.

Évidemment, ils ne savaient pas que des policiers en civil n'allaient plus les lâcher — et surtout que Gilles Étaix s'occupait d'eux, activement. Il était trop près d'arriver au but et avait une trop bonne idée, pour laisser échapper la victoire finale.

X

LES COUPABLES

Pour Gilles, la culpabilité d'Hélène et de Sylvain Serrat ne faisait plus de doute. Et il avait par ailleurs des raisons personnelles de leur en vouloir, depuis qu'ils avaient tenté de l'écraser ou de le faire écraser — car c'était eux, à n'en pas douter, qui avaient eu cette charmante intention —, pour se débarrasser d'un curieux de plus en plus curieux et gênant. Il n'avait pas non plus tellement apprécié la mauvaise idée de lui qu'ils avaient voulu faire partager à Darbois. Décidément ils en faisaient trop!

A lui de jouer! De prendre, seul, certaines initiatives qui ne manqueraient pas de froisser la conscience très professionnelle du très strict Darbois! Gilles était sûr de se faire sermonner par son patron, après coup. Mais si le coup était réussi!

Pour cela, il lui fallait le concours de quelques acteurs ou témoins du drame qui avait commencé à Saint-Ixe, il y a près de deux mois.

Lucile d'abord. Avec elle, aucun problème, il savait qu'il pouvait compter sur son dévouement aussi bien que sur sa discrétion. Il tint seulement à la prévenir :

« Je dois agir... contre votre belle-mère et votre oncle.

— Parce que vous pensez qu'ils sont pour quelque chose dans la mort de père?

— Nous allons le savoir très vite. Disons... que sa mort les arrange et qu'il faut toujours rechercher à qui profite le crime.

— Qu'est-ce que je peux faire? demanda Lucile.

— Imaginez que Sylvain et votre belle-mère aient quelque chose de très important à se dire, ou même une décision très grave à prendre. Où en parleraient-ils, en étant sûrs de n'être pas dérangés — par vous, notamment?

— Dans... la chambre, murmura Lucile en rougissant.

— Dans leur chambre, vous voulez dire? Parce qu'ils couchent ensemble, n'est-ce pas?

— Oui, avoua Lucile, avec une étrange et douloureuse pudeur.

— Parfait! dit Gilles que cela arrangeait. Voilà ce qu'on va faire. Vont-ils s'absenter aujourd'hui?

— Oui, cet après-midi. Ils doivent aller à Dijon tous les deux.

— C'est sûr?

— Oui. Vers 4 heures, je serai seule à la villa.

— Bien. Je vous y rejoindrai. Pour installer ça.

— Qu'est-ce que c'est? » dit Lucile en examinant un petit appareil avec lequel Gilles jouait depuis une minute.

Gilles fit une rapide manœuvre. On entendit un déclic, puis... la voix de Gilles :

« ... leur chambre, vous voulez dire? Parce qu'ils couchent ensemble, n'est-ce pas?

« — Oui, enchaîna la voix de Lucile, à peine audible.

« — Parfait. Voilà ce qu'on va faire... »

Gilles appuya sur un bouton. Il y eut un nouveau déclic.

« Un magnétophone, murmura Lucile devant le gadget miniature.

— Oui. Je passerai le poser dans leur chambre.

— Mais, dit Lucile en fronçant les sourcils, pourquoi voulez-vous qu'ils se trahissent justement ce soir, ou demain, ou après-demain?

— Après-demain, il serait déjà trop tard pour moi. J'ai deux jours pour régler cette affaire, Lucile.

— Alors, je ne comprends pas. Pourquoi parleraient-ils de ce qu'ils ont fait... s'ils l'ont fait?

— De ce qu'ils ont dû faire et de ce qu'ils devront faire aussi. Parce que je vais leur donner une occasion de s'inquiéter, et les forcer à réagir en conséquence. A réagir très vite et très fort. Acculés comme ils vont l'être, je veux bien être pendu si, ce soir même, ce petit appareil ne recueille pas des confidences extrêmement intéressantes.

— Et ça suffirait pour les confondre?

— A défaut d'autre chose, oui. Mais je compte faire mieux encore.

— Oh! dites-moi! Je vous jure de n'en parler à personne! Même pas à David.

— Chut! Je n'ai plus le temps de bavarder, Lucile. A cet après-midi. Et merci encore! »

Gilles et Lucile se séparèrent, complices et heureux de l'être. Mais la jeune fille se demandait avec un peu d'anxiété ce qui se tramait.

Avant de passer à la villa, en début d'après-midi Gilles rendit visite au mage. Il lui fit tout d'abord compliment de sa perspicacité : comme il le « voyait » clairement, avec son sixième sens, Lucien était encore vivant, quand il distillait de l'espoir à Lucile. Vivant, mais en danger, comme il le sentait aussi.

Le vieil homme fut sensible à l'admiration à peine exagérée de Gilles. Il se montra tout prêt à l'aider une fois encore, si cela lui était possible. Et très flatté quand Gilles lui demanda ce qu'il pensait des Serrat :

« Lucile... C'est une très gentille enfant.

— Je sais cela, dit Gilles. Il ne s'agit pas d'elle, mais des deux autres.

— Du temps de Lucien, ils n'existaient pas vraiment. Je ne les sentais pas très bien.

— Et moi aujourd'hui, comme on dit vulgairement, je ne peux plus les sentir. Vous ne pensez pas qu'ils sont devenus dangereux ?

— Dangereux ? Peut-être. Mais en danger aussi. Ils sont... hésitants. Ils jouent un rôle trop fort pour eux.

— Écoutez ! Je voudrais que vous entriez en relation avec eux, très, très vite. Avant ce soir si possible ! »

Le vieillard leva les bras au ciel. Que de hâte, chez ces jeunes hommes qui ont pourtant la vie devant eux, autant dire l'éternité ! Mais Gilles se faisait de plus en plus pressant et précis.

« Oui! Parce que je n'ai que deux jours devant moi. Je ne peux pas vous expliquer pourquoi. Pas le temps! Je voudrais donc que vous leur écriviez un petit mot que j'irais leur porter, au besoin vous le dateriez d'hier.

— Et qu'est-ce que je leur écrirais?

— Qu'ils viennent vous voir sans perdre une seconde!

— Et après, qu'est-ce que je leur dirais?

— Ce que vous m'avez dit! Qu'ils sont en danger.

— Mais encore...

— Que vous voyez deux hommes qui les menacent. Deux hommes que la police a interrogés, relâchés, mais qu'elle va rattraper, faire parler. Deux hommes qui risquent de parler.

— Quels hommes au juste?

— Ils sauront.

— Ce sont leurs complices?

— Oui! dit Gilles.

— Alors, les deux Serrat sont coupables?

— Pour moi, cela ne fait aucun doute.

— Pour moi non plus, dit le vieillard. Mais il faut le prouver, n'est-ce pas? Et ce n'est pas facile.

— Si vous faites ce que je vous demande, tout deviendra facile, monsieur.

— Pourquoi vous adressez-vous à moi?

— Parce que vous êtes le seul à avoir une certaine autorité... spirituelle, et même une influence certaine sur les gens de Saint-Ixe. Par Lucile, je sais qu'Hélène Serrat, plusieurs fois, vous a consulté.

— C'est vrai! reconnut le mage. Mais elle reste

l'une des plus sceptiques de mes clientes, je dois le reconnaître aussi.

— Oui. Mais il y a des moments dans la vie où le moindre signe prend une importance extraordinaire. Des moments où l'on est extrêmement sensible, influençable. Et je sais qu'Hélène Serrat, comme Sylvain, traverse un de ces passages difficiles. »

Et le mage accepta de jouer le rôle que lui confiait Gilles Étaix. Il écrivit à Hélène Serrat.

Il ne restait plus à Gilles, quand il eut soigneusement installé son petit magnétophone, qu'à semer la panique chez les deux autres acteurs du drame, truands à la solde des Serrat.

Avec eux, les subtilités étaient inutiles, et même dangereuses : au cas où ils ne saisiraient pas... Et puis, il ne pouvait recourir deux fois dans la même journée aux services du mage. Si grande que fût l'obligeance du vieil homme, les quatre clients risquaient de se télescoper. Leur rencontre chez lui eût été du plus mauvais effet.

Gilles se décida donc à envoyer en deux exemplaires la banale lettre anonyme, rédigée de façon que les deux complices s'alerteraient et s'effraieraient mutuellement. Les termes de la lettre seraient tels que la moindre initiative des Serrat, le lendemain (car les Serrat, alertés de leur côté, devaient réagir tout aussi vite), leur semblerait des plus suspecte!

C'était tirer beaucoup de plans pour un avenir immédiat. Mais Gilles se faisait confiance, tout autant qu'il se fiait à la peur qui hâte les dénouements, en faisant se dévoiler les êtres.

Ainsi, le soir même, René Bellard et Richard Bohn se rencontraient au café. Les hommes de Darbois les observaient, mais eux ne prêtaient attention qu'à la menace bien plus directe qui s'inscrivait noir sur blanc, en double exemplaire, sous leurs yeux hagards.

« T'as reçu la même, alors ? s'exclama Richard.

— Té ! » commenta laconiquement René.

Ils échangèrent leur lettre et lurent tout bas : « Les Serrat sont deux salauds. Ils se sentent coincés par la police et ils ont peur que vous finissiez par avouer. Méfiez-vous d'eux. Signé : un ami qui sait tout, qui ne dira rien et qui vous veut du bien. »

Les deux hommes se regardèrent.

« Moi, dit Richard, j'avais toujours dit que c'était des ordures, ces deux-là. Le Lucien, d'accord, il était correct. Mais les deux autres...

— Mais après le coup du corps, ils nous tenaient, dit René.

— Oui, mais c'était pas encore très grave. Tandis que l'autre affaire...

— Mais c'était bien payé ! reconnut René.

— Oui, mais s'ils ne nous laissent plus le temps de profiter du fric, et si les flics nous tombent dessus.

— Ils feraient pas ça !

— Ils se gêneraient ! ricana Richard.

— Mais il faut faire quelque chose ! conclut René, tremblant.

— Tu parles qu'il faut ! renchérit Richard, qui parlait de moins en moins et pensait de plus en plus.

— Mais quoi? dit René, qui n'avait plus de voix et pas d'idée non plus.

— Viens qu'on en cause chez moi, tranquilles. Ici, y'a trop de monde. »

Et les deux hommes quittèrent le café de la place, suivis dans la nuit par deux ombres grises.

En arrivant chez Richard, un mot glissé sous la porte attira immédiatement leur attention et leur évita d'avoir à dresser des plans trop compliqués. C'était une invitation des Serrat, rédigée en ces termes : « Prière de passer à la villa demain, à six heures du soir. N'en parlez à personne. Vous avez intérêt à vous éloigner quelque temps de Saint-Ixe. Nous vous y aiderons en mettant à votre disposition tous les moyens matériels. Comptons sur vous. » C'était signé de deux initiales : S et H.

« Les salauds! murmura Richard.

— Faut pas y aller! dit René.

— Si! Mais deux hommes prévenus, ça en vaut quatre! »

Et il se mit à rire, très sûr de lui, comme soulagé.

Le lendemain 15 novembre tombait un jeudi. Gilles était prodigieusement énervé à l'idée que c'était « son » dernier jour, et qu'il n'avait plus rien à faire qu'à attendre. Ce rôle de spectateur lui était fort inhabituel et désagréable.

Il rendit visite au mage, qui le rassura ; il avait convenablement inquiété les Serrat, qui étaient venus le soir même, sitôt reçu le message, à leur retour de Dijon. En fait, par ses « révélations », le mage n'avait fait qu'aller dans le sens de leur plus grande peur. Ils étaient lancés sur orbite, à présent. Le dénouement n'allait plus tarder :

« Il faut espérer! dit Gilles.

— Comptez sur la femme. Le beau-frère est un indécis. Mais elle, elle est décidée pour deux, depuis que son mari n'est plus là. »

Gilles rencontra également Lucile. Elle ne savait pas du tout ce qui s'était dit entre les deux amants, dans le secret de la chambre. Elle n'avait pu récupérer la bande, ce matin. Sa belle-mère l'avait littéralement envoyée promener.

« A Dijon, Lucile! On passe *Autant en emporte le vent*. Tu voulais le revoir. Vas-y. Ton oncle et moi, nous avons à faire. Nous ne serons pas rentrés avant huit heures ce soir. On se retrouvera au dîner, n'est-ce pas? »

Lucile avait promis de ne pas rentrer avant. Mais elle était sûre que quelque chose s'était décidé, que quelque chose allait arriver. Elle avait peur, elle aussi.

Gilles la rassura, lui conseillant d'aller voir David, plutôt que *Autant en emporte le vent*. Telle était d'ailleurs l'intention de la jeune fille.

A cinq heures, un gendarme vint avertir Gilles : René Bellard et Richard Bohn étaient sortis de chez eux. A six heures enfin, Gilles apprit que les deux hommes venaient d'arriver chez les Serrat. Il se précipita.

Devant la villa, Darbois faisait déjà les cent pas.

« Que veut dire la réunion de tout ce joli monde, Étaix ?

— Chut! Tout se joue en ce moment! souffla Gilles avec un air de conspirateur.

— Tout quoi?

— Je ne sais pas moi-même. Mais, ajouta-t-il en se frottant les mains, je ne suis pas mécontent de moi. Ils ont marché.

— Hmm! » fit le commissaire piétinant sur place.

Pieds et mains commençaient à se geler.

« La petite est ici?

— Non. Lucile est chez David.

— J'aime mieux ça.

— Moi aussi.

— J'ai froid. On marche.

— Allons! »

Une deux! Une deux! Étaix et Darbois tournèrent autour de la villa. De temps en temps, ils jetaient un coup d'œil du côté des fenêtres éclairées du rez-de-chaussée. C'était le salon. Ils auraient donné cher pour voir, écouter, savoir.

Utile, ce guet?

En tout cas, pénible! La nuit jurassienne avait des rigueurs quasi sibériennes, en cet automne déjà avancé. Les deux commissaires, logés (si l'on peut dire) à la même enseigne, battaient de la semelle avec un remarquable ensemble et une égale conviction, entre les deux rangées de tilleuls encadrant l'allée.

L'air s'appesantissait, l'ombre s'épaississait, et les guetteurs, en même temps qu'au froid, étaient sensibles à la menace qui flottait alentour.

Ils quittèrent l'allée un instant. Ils avaient vue en même temps sur la plaine monotone et le ciel où couraient des nuages annonciateurs de pluie ou de neige.

« Manquerait plus que ça! fit Gilles en relevant le col de son caban.

— Chien de pays! » s'exclama le commissaire.

Ils reprirent l'allée aux tilleuls, et la direction de la villa. Ils regardèrent à nouveau du côté des lumières. Que se passait-il? Qu'allait-il se passer?

Hélène et Sylvain Serrat venaient d'accueillir René et Richard.

« Vous avez les lettres? » demanda Sylvain.

Les deux hommes tendirent les deux papiers. Hélène les prit, les mit en boule dans un cendrier et les enflamma.

« Il ne faut jamais laisser traîner ce genre de littérature. Le feu, c'est l'idéal, ça ne laisse pas de traces » dit-elle.

René et Richard observaient les deux Serrat avec une méfiance si visible que Sylvain en avait froid dans le dos. Certes, Hélène était la plus forte et la plus maligne, et il jouait avec elle contre eux. Pourtant, il semblait inquiet. Pas Hélène, qui poursuivait, souriante :

« Heureusement, vous n'avez pas parlé à la police. Enfin, pas de ce qui s'est passé la seconde nuit?

— On sait se tenir, nous! murmura Richard.

— Vous savez surtout vous souvenir... d'un certain

papier signé, un reçu, justifiant le montant assez considérable de la somme d'argent que vous vous êtes partagée.

— De toute façon, dit Sylvain, vous n'avez pas plus intérêt que nous à parler de la nuit du samedi 13 octobre.

— Et nous aurions tous les quatre intérêt à nous séparer, pour ne pas risquer de nous gêner mutuellement, reprit Hélène. C'est pourquoi nous avons pensé, Sylvain et moi, vous aider à aller prendre l'air loin de Saint-Ixe.

— Des vacances, quoi! dit Richard.

— Mais faut les moyens! dit René.

— Nous voilà entièrement d'accord, conclut Hélène. Nous avons donc décidé de vous fournir une voiture, immatriculée en Suisse, deux faux passeports et une dernière somme, très importante. Cinquante mille.

— Cinq millions », traduisit Sylvain.

René fit le geste de prendre. Richard, d'un geste, modéra son impatience. L'importance de la somme, à ses yeux, montrait à l'évidence que les Serrat avaient très envie de les voir filer. Mais il n'entendait pas se laisser mener par le bout du nez. Lui aussi, il voulait prendre des précautions, poser ses conditions...

« D'accord, dit-il. Mais on a brûlé les lettres. Vous, il faut brûler le reçu! »

Hélène et Sylvain se regardèrent et échangèrent un léger sourire. Sylvain fouilla dans sa poche en murmurant :

« Je vois que la confiance règne! »

De son portefeuille, il retira une photocopie si proche de l'original que René et Richard ne virent que du feu, quand le reçu, roulé en boule, vint rejoindre les cendres des deux lettres. Tout semblait donc en règle, et les deux hommes, satisfaits. Pourtant, Richard demanda encore, se croyant très fin :

« Qui nous dit, dès qu'on aura le dos tourné, que vous n'allez pas sonner la police qui nous rattrapera et qu'on aura alors l'air encore plus coupables qu'avant?

— Voyons, Bohn, s'ils vous rattrapaient, vous parleriez! Vous diriez...

— Tout! dit René, qui voulait placer son mot, et venait de le faire avec un accent de sincérité qui ne trompe pas...

— Ballot! gronda Richard.

— Mais non, votre ami a raison. Il a compris, lui. Nous voulons seulement vous voir tous les deux très vite et très loin d'ici. Tenez. »

Hélène tendit une liasse de billets. Richard la prit.

« La bagnole? demanda-t-il.

— Derrière la villa, dans le hangar! dit Sylvain.

— Venez avec nous! dit Richard.

— C'est l'ID grise, vous la connaissez! dit Hélène.

— Venez quand même! » dit encore Richard.

Les Serrat flairaient-ils un piège? En réalité, ils étaient trop pressés pour discuter. Et que pouvaient-ils craindre de leurs deux complices, qui ne demandaient qu'à profiter de la liberté et de l'argent offerts? Surtout qu'ils ne pouvaient deviner...

« D'accord! » admit Hélène.

Hélène et Sylvain sortirent par l'arrière de la villa, suivis des deux hommes. Hélène s'immobilisa, à l'écoute de la nuit qui lui semblait hostile.

« Qu'est-ce qu'il y a? demanda Sylvain.

— ... Rien, dit Hélène, qui ne pouvait préciser le danger qu'elle sentait. Vite! » fit-elle simplement.

Richard et René montèrent dans la voiture. C'est René qui allait conduire. Il démarra.

« Bon voyage! » murmura Sylvain.

C'est Richard qui tira. Hélène et Sylvain s'écroulèrent sur place, sans un cri.

« Merde! »

C'était le cri du cœur de Darbois dans la nuit. Darbois courut avec Gilles Étaix dans la direction des coups de feu. En même temps, deux policiers enfourchaient leur moto et se précipitaient à la poursuite de l'ID qui avait déjà disparu dans la nuit.

Les deux commissaires arrivèrent trop tard. A la porte du hangar, les amants criminels gisaient, enlacés comme pour une dernière étreinte. Gilles se pencha sur eux : morts...

Il se releva en sursaut, entendant le bruit d'une formidable explosion. Que se passait-il encore... et encore du côté du bois de Saint-Ixe?

L'un des deux motards arriva peu après, avec la

réponse : l'ID grise des deux fuyards avait explosé mystérieusement et les policiers qui les suivaient avaient échappé de peu aux retombées d'acier et de feu du véhicule. Quant aux deux hommes, on aurait du mal à en rassembler les morceaux pour reconstituer un puzzle macabre.

« En fait de dénouement, murmura Darbois, c'est plutôt un nettoyage par le vide. Joli travail! ajouta-t-il en fixant son jeune collègue qui n'osa pas prendre ça pour un compliment.

— Attendez! fit Étaix. C'est pas fini.

— Hein! »

Gilles venait de se précipiter dans la villa. Il le suivit, tremblant de ce qu'il allait encore découvrir. Un magnétophone, que Gilles venait de récupérer dans la chambre des Serrat.

« Ah! parce que vous jouez aussi les James Bond ! fit Darbois.

— Chut! » supplia Étaix.

La bande étroite se déroulait déjà.

Les deux hommes, penchés sur le petit appareil, écoutaient ces deux voix d'outre-tombe, fignolant des projets de mort pour leurs deux complices, afin d'échapper eux-mêmes, bien que coupables, à la justice des hommes.

« ... ils parleraient tôt ou tard, disait la voix d'Hélène.

— Mais si on les payait suffisamment... disait la voix de Sylvain.

— Ce n'est jamais suffisant! Après, ils reviendraient pour nous faire chanter. Ou bien ils se trahiraient et nous dénonceraient par la même occasion, dans un moment d'ivresse par exemple. Il faut tout prévoir, Sylvain, même le pire!

— Tu as peut-être raison. Comme toujours! admit Sylvain. Alors, il faut...

— S'en débarrasser.

— Cela fait beaucoup de morts.

— Il faut ce qu'il faut! Demain... On les attendra. On leur fera croire qu'on va les aider à fuir. Ils fuiront. Mais ils n'iront pas loin. Et leur commencement de fuite sera suffisant pour prouver leur culpabilité.

— Leur complicité. Mais si la police veut remonter jusqu'à nous?

— Impossible. Il n'y aura plus aucune trace de nos... relations avec eux. Les papiers, brûlés. La voiture... immatriculation fausse. Les deux hommes, réduits au grand silence.

— Je t'aime, mais j'ai peur, murmura encore la voix de Sylvain.

— Tu as peur, mais je t'aime! » murmura la voix d'Hélène.

Ensuite, la bande avait enregistré des sons tels... qu'elle devenait plus érotique que policière.

« Vous n'avez pas planqué aussi une bande chez les deux autres loustics? demanda le commissaire Darbois, presque sérieux.

— Pas la peine! dit Gilles. Ils ont tenu exactement le même raisonnement. La méfiance était réciproque entre les deux... couples, si je puis dire. Ils ont donc eu en même temps l'idée de se débarrasser les uns des autres, ayant seulement le tort de sous-estimer l'adversaire...

— Et cette belle idée, c'est vous qui la leur avez soufflée? Et vous vous attendez à des félicitations! »

Gilles prit un air modeste.

« Cela fait beaucoup de morts! ajouta Darbois à l'instar de Sylvain.

— Il faut ce qu'il faut, murmura Gilles, faisant écho à Hélène.

« C'est un raisonnement de truands! gueula Darbois. Figurez-vous que, dans la police, même les salauds, on les préfère vifs que morts. Et c'est à la justice, et pas à leurs complices, de décider de leur sort, nom d'un chien. »

En cette soirée du 15 novembre, Saint-Ixe était de nouveau sens dessus dessous. Quatre morts cette fois... c'en était trop! Saint-Ixe, faubourg de Chicago, se croyait arrivé au temps de l'Apocalypse. Saint-Ixe, affolé, ne comprenait plus rien à rien, et venait, pour la troisième fois, aux nouvelles.

« Nom de nom de nom de nom... recommençait le charcutier.

— Nom de nom de ... »

C'était la charcutière, en écho.

Lucile arriva quelques minutes plus tard, accompagnée de David qui avait refusé de la laisser partir seule, se doutant que les événements allaient se précipiter, et craignant qu'elle y fût mêlée.

« Qu'est-ce qui est arrivé? demanda la jeune fille,

alertée par tout ce remue-ménage autour de la villa.

— Je vous expliquerai, Lucile. Ce soir, cette nuit, il faut que vous partiez d'ici, dit Gilles.

— On peut vous installer un lit à la gendarmerie, proposa Darbois, un peu embarrassé.

— Mais chez moi... dit David.

— Ce sera mieux, certainement, dit Gilles Étaix. David... aimez-la bien! Vous allez devoir remplacer pas mal de gens autour d'elle, à présent.

— Ils sont morts! dit Lucile qui avait tout entendu et déjà deviné pas mal de choses. Ils étaient... coupables? »

Gilles fit signe que oui. Alors Lucile, dans un grand effort, ravala ses larmes qu'elle ne voulait pas verser sur les assassins de son père, et passa son bras sous le bras de David. Étaix et Darbois les regardèrent s'éloigner en souriant...

Parce qu'après tant de haine et de sang, le mot de la fin, comme dans les romans, irait quand même à l'amour. Malgré tous ces morts, l'histoire ne finissait pas si mal : les coupables avaient payé, les innocents, eux, s'en sortaient.

TABLE DES MATIÈRES

PRODUCTION
EDITO-SERVICE S.A., GENÈVE

IMPRIMÉ EN ITALIE